KB077169

우인지천

https://brunch.co.kr/@johongkeon

한 번뿐인 삶에서 실패하지 않는 인생과 어울려 사는 세상에 대한 글을 쓰려 합니다.

발 행 │ 2024-06-17

저 자 │ 우인지천

펴낸이 │ 한건희

펴낸곳 │ 주식회사 부크크

출판사등록 │ 2014.07.15(제2014-16호)

주 소 │ 서울 금천구 가산디지털1로 119, A동 305호

전 화 │ 1670 - 8316

이메일 │ info@bookk.co.kr

ISBN │ 979-11-410-9004-3

본 책은 브런치 POD 출판물입니다.

https://brunch.co.kr

www.bookk.co.kr

내 책 한 권으로
시작하는 50플러스
- 책으로 성장하는 중장년

우인지천 지음

CONTENT

서 문 7

Part 01. 나의 책을 가지다 8

　왜 4050 인가? 9

　책 출간, 퇴직 전 vs 퇴직 후 20

　시대 트렌드를 고려한 책 출간 27

　책을 내기 전 준비해야 하는 것들 35

　중장년의 책 쓰기 수업 45

Part 02. 글은 이렇게 쓰자 55

　글쓰기, 어렵다? 쉽다? 56

　글쓰기는 글을 쓰는 것이 아니다 64

　책을 쓰면서 각오해야 하는 것들 75

　주제만 명확해도 절반의 성공이다 89

　퇴고는 최소 10 번을 거쳐야 한다 96

Part 03. 글을 쓸 때 고려사항 108

　누구와도 비교는 금물이다 109

한 명의 멘토나 응원자를 찾아라 117

독자가 원하는 글을 써보자 126

내용이 중요하다고? 134

홍보 전쟁 속에서 살아남아야 한다 143

Part 04. 출간 프로세스를 이해하자 156

어디서 책을 낼 것인가? 157

초고를 담아 둘 공간이 필요하다 170

내 책과 어울리는 플랫폼은? 179

책 값은 어떻게 정해지나? 186

책이 나왔다고 끝이 아니다 198

Part 05. 펀딩으로 책을 낸다는 것 206

펀딩으로 책을 낸다는 것 -1 207

펀딩으로 책을 낸다는 것 -2 214

펀딩으로 책을 낸다는 것 -3 225

펀딩으로 책을 낸다는 것 -4 232

펀딩으로 책을 낸다는 것 -5 238

Part 06. 책을 내고 얻게된 것들 250

책 출간은 성장의 과정이다...251

나를 객관적으로 보는 힘이 생긴다 259

인생의 터닝 포인터를 맞이하다....................................268

퍼스널 브랜드는 어떻게? 277

이제 제대로 책을 쓸 준비가 되었다 286

서 문

책 한 권으로 시작하여 강사가 되기까지 책과 함께 한 여정을 담아냈습니다. 저도 미처 생각하지 못했던 변화와 놀라움의 연속이었습니다. 돌아보면 책을 내는 과정부터 낯선 여행이었습니다..

"내가 할 수 있을까?"

하는 의심이 계속 되었습니다. 그럼에도 불구하고 펀딩에 도전하고, 크몽에 전자책을 등록하고 온라인 출판사를 통해서 책을 낼 수 있었던 배경에는, 나름의 간절함이 있었습니다.

23년 6월 퇴사를 하던 시점에, 자신과의 대화에서 다짐을 했습니다.

"스스로 일어설 수 있는 토대를 만들자"

그 시작은 책 쓰기였습니다. 잘 해서 시작한 것이 아니라, 위기감에서 시작을 했었습니다. 그 과정에서 느낀 점과 익힌 것들을 풀어 내고자 했습니다.

이 시대를 살아가는 50대 이상의 중장년과 책 한 권이 가져다 주는 놀라운 변화를 함께 나누고 싶었습니다. 글을 쓰고, 강의를 한다는 것이 저에게 엄청난 도전이었습니다. 하지만, 넘지 못 할 산은 아니었습니다. 준비되지 않았던 저도 했기에, 제2 인생을 개척하고자 하는 누구라도 도전할 수 있다고 믿습니다. 저보다 더 뛰어난 능력을 보여주실 여러분을 응원합니다.

Part 01. 나의 책을 가지다

왜 4050인가?

– 30대와는 다른 시간이 흘러가는 4050

인생의 4분면

인생의 각 단계 구분법은 여러 가지가 있겠습니다만, 100세를 기준으로 한다면 개인적으로는 아래와 같이 인생을 구분합니다.

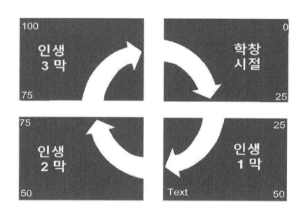

50대, 60대는 새로 시작할 나이이다

20대까지는 성장에 초점이 맞춰져 있는 시간이라고 할 것입니다. 그러나 학교를 졸업하고, 가게를 차리거나 직장에 들어가게 되면, 이때부터는 성과를 만들어 내야 합니다.

이것이 학교생활과 사회생활의 가장 큰 차이일 겁니다. 하지만, 30대까지도 배움과 성장이 이어집니다. 필요하면 외부교육이나 연수를 가기도 합니다.

30대의 직장생활에 비하여 40대부터는 다른 생각을 하게 됩니다. 교육을 통해서 지식의 깊이를 더하거나 확장하기보다는, 기존에 경험에 의지하여 업무를 처리하게 됩니다.

에너지가 넘치는 30대를 보내고 나서 40대를 맞이하면서 관점의 변화를 스스로 느낍니다. 자기 객관화를 하기 시작하고, 50대가 되면 한 발 떨어져 있을 줄 알게 됩니다.

본인의 의지에 상관없이 직장에서는 중간자, 또는 그 이상의 입장에 놓입니다. 본인의 주장만 강하게 하기보다는, 주변과 어울리는 것이 생존에 유리하다는 것을 경험적으로 이해하고 처신합니다.

30, 40세대와 다른 50플러스

40대와 50대는 회사를 바라보는 관점에서도 차이가 납니다. 30대에는 회사에 요구사항도 많지만, 40대부터는 있는 그대로를 받아들이게 되는 편입니다. 게다가, 관리자라는 직책을 맡고 있다면 회사에 쓴 소리를 하기보다는, 각종 경영 지표를 신경쓰이게 됩니다.

제가 40대 중반에 팀장을 하고 있을 때 경험담입니다. 30대 팀원이 찾아와서,

"팀장님, 드릴 말씀이 있습니다. 우리 팀에 인력이 더 필요합니다. 팀장님께서 회사에 이 부분을 강하게 얘기해 주셔야 한다고 생각합니다."

즉흥적이 발언이 아니라, 나름 실무를 하면서 힘들었던 시간이 쌓여서 찾아온 겁니다. 그걸 모를 리 없는 팀장이지만, 다른 한편으로 회사의 경영 숫자도 고려해야 하는 위치가 팀장이라는 자리였습니다.

"올해는 어렵겠지만, 내년은 반영될 수 있도록 인사팀이랑 얘기해 볼게"

하지만, 그 뒤로 2년 동안 팀에 신규채용은 없었습니다. 경영, 즉 숫자 중심으로 바라보는 회사의 전망에 기초한 내부 의사결정이 있었던 것입니다. 하지만 이런 상황을 팀원들에게 일일이 설명하지는 않았습니다. 그것이 실무를 하는데, 도움이 되지 않는다고 판단을 했기 때문입니다.

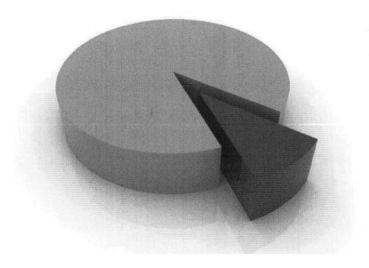

내 인생에서 일정 시간을 떼어내서 바라볼 수 있다면?

40대는 아직 인생에서 많은 것을 경험했다고 하기에는 이른 나이입니다. 하지만, 중요한 것은 돌아볼 무언가가 있다는 겁니다.

이에 비해서 30대는 직장에서 주니어를 갓 벗어나는 포지션입니다. 아직 학창 시절이, 사회생활보다 또렷이 기억될 시기입니다.

40대가 되어 과거와 미래를 동시에 고려하다 보면, 여러 가지 다양성이 보이기 시작합니다.

> 관점/입장 : 나뿐만 아니라 제삼자의 입장을 고려합니다
>
> 경험/예측 : 그동안의 경험에 따른 향후 예측이 가능해집니다.
>
> 조직문화 : 이미 만들어진 문화를 인지함과 동시에 변화도 감지합니다
>
> 네트워크 : 전체 업무의 프로세스가 보이며, 협업을 할 기회가 많아집니다
>
> 의사소통 : 선배뿐만 아니라 후배들과 함께 하면서, 의사소통의 가능성과 한계를 동시에 느낍니다

물론 40대에 비해서 50대가 더 많은 경험과 노련미를 갖추게 됩니다. 하지만, 50대가 되면 의욕적으로 무언가를 쟁취하겠다는 생각보다는, 이제 내려놓겠다는 마음이 들기 시작합니다. 즉, 돌아볼 것은 많은데, 굳이 미래를 내다보려는 의욕은 그리 크지 않습니다.

다른 한편으로 30대에는 40대가 아직 멀리 있다고 느끼는 한편, 40대는 50대가 멀지 않았음을 직감합니다. 40대에 의도적인 노력을 하지 않으면, 준

비되지 않은 50대를 맞이한 선배의 모습이 내가 될 가능성이 높다는 불안감이 엄습합니다. 그렇게 되지 않기 위해서 뭐든지 해 봐야 한다는 초초함이 앞섭니다.

50대가 되면 모든 면에서 예전 같지 않다는 현실을 마주하게 됩니다. 가정과 사회에서 바쁜 시간을 보내는 와중에도, 40대에 스스로를 들여다 볼 수 있는 혼자만의 시간을 꼭 가져야 하는 이유입니다. 이걸 물리적으로 가능하도록 만드는 작업이 글쓰기입니다.

그래서, 50대가 아닌 40대에 그동안의 경험을 정리하며 글을 써 보아야 합니다. 밖으로 향하던 에너지를 안으로 모으는 연습을 해야 합니다. 이것이 가능하다면, 50대에도 계속해서 쓰고, 책을 낼 수 있을 것입니다.

50대가 되면 더 많은 경험과 지혜로 세상을 보는 눈이 생겨서, 능숙하고 세련된 글쓰기를 할 수 있게 될지도 모릅니다. 이것은 40대를 어떻게 보냈는가에 많은 영향을 받습니다.

글쓰기가 목표가 되면

우리는 갑자기 50대가 되는 것이 아닙니다. 40대의 치열함이 고스란히 50대로 이어집니다. 50대에 이루고 싶었던 목표가 있었다면, 적어도 40대에 그 가능성이 확인되어야 한다는 의미입니다. 예를 들어서,

임원 달기

내 집 장만

제2의 직업 준비하기

퇴직 후 개인사업 하기

어느 것 하나 쉬운 것이 아닙니다. 목표 수립도 중요하지만, 40대에 시간과 에너지를 쏟아부을 수 있어야 현실적인 목표라고 할 겁니다. 이런 바람에도 불구하고, 40대는 가정에서 그리고 직장에서 중추적인 역할을 담당하느라 글과 담을 쌓고 지내기도 합니다. 그랬다면 50대에는 더 이상 미룰 여유가 없습니다.

희미하게 원하는 것을 목표라고 부를 수는 없지 않은가?

시간이 있을 때, 또는 마음의 여유가 있을 때에만 글을 쓰겠다고 한다면, 도달하지 못할 이상으로 남게 될 뿐입니다. 40대, 늦어도 50대에 글쓰기를 꼭 해야 하는 몇 가지 이유가 있습니다.

마음정리

: 글을 쓰다 보면 일희일비하지 않고, 차분히 정리할 수 있게 됩니다

자기 객관화

: 나를 내려놓고, 상대방의 입장에서도 생각할 수 있는 여유가 생깁니다

인생의 방향성 다듬기

: 반복되는 일상 속의 루틴을 점검하고, 향후 방향성을 고려할 수 있습니다

나만의 부캐 만들기

: 그전에는 인식하지 못했던 내 안의 또 다른 나를 발견하고 키워 나가게 됩니다

40대에 시작해야 하는가?

경험과 의욕이 같이 있나요?

그렇다면 30대는 글을 쓰기 시작할 수 없는 걸까요? 그것은 누구보다 본인이 잘 알 것입니다. 30대라고 할지라도, 때로는 상대방의 입장에서 생각을 해 볼 수 있고, 짧은 시간이지만 많은 경험을 쌓았다면 이야기보따리가 준비되어 있겠지요. 50대에도 아직 열정을 가지고 있다면, 어느 세대보다 다양한 스토리들을 끄집어낼 수 있을 겁니다. 하지만, 막상 50대가 되면 조급함이 앞서기 시작합니다.

그래서 중장년에도 40대의 마음으로 글쓰기에 욕심을 내어 볼 것을 강력히 추천합니다.

책 출간, 퇴직 전 vs 퇴직 후

- 마음의 여유가 있을 때가 적기이다

퇴직이 10년, 혹은 그 이상이 남아 있을 때는 퇴직 후 전원생활을 꿈꾸기도
한다.

하지만, 임금피크에 들어가거나 정년퇴직이 얼마 남지 않게 되면 불안감만
앞선다. 아는 지인 중에는 내년 초 정년퇴직을 준비 중인 분이 계신데, 요즈
음 사람들에게 연락하는 게 큰 일입니다. 특정 주제에 한정하지 않고 다양한
분들에게 조언을 구합니다. 부동산 업을 하는 사람, 자기 가게를 하는 사람
또는 사업을 하는 사람, 그리고 재취업을 하는 사람 등 일을 계속 하고 있는
모든 사람이 그 대상입니다.

직장을 떠나서 내 이름 석자 걸고 뭔가를 한 다는 게, 남 얘기일 때는 쉬워 보
이는데, 막상 내 이야기가 되면 전혀 달리 보인다.

글을 쓰고 책을 내는 것은 어떨까요?

퇴직 후라면, 시간도 많고 여유가 있을 듯 하지만 절대 그렇지 않습니다. 퇴

사 직후에는 여러가지 감정이 교차하면서 오랜 시간 한 자리에 앉아서 글을 쓴다는 것이 내키지 않습니다.

옛 기억을 더듬어 가다 보면 그 속에서 빠져 나오지 못하기도 합니다. 특히 앞 날이 막막하다고 생각하면 펜을 잡고 있을 수만 없습니다. 더 늦기 전에 당장 나가서 뭐라도 해야 할 것 같은 기분이 먼저 듭니다.

하지만, 글이라는 건 마음의 여유를 가지고 접근해야 고여있는 생각들을 끄집어낼 수 있습니다.

내가 생각하는 주제와 관련된 책들을 도서관에서 하루 종일 보고 있어도, 마음의 동요가 없어야 합니다.

그래서 시기적으로 보면, 퇴직을 여러 해 남겨둔 시점이 적당하다고 할 것입니다.

직장에 출근해도 마음의 여유를 가질 수 있습니다. 적어도 겉으로는 그렇습니다. 준비되지 않은 미래가 걱정되기는 하지만, 아직까지 심리적 안정감을 주는 직장이라는 존재가 있습니다.

이런 시기라면, 우선 그동안의 살아온 인생의 주요 순간을 시간 순서로 나열해서, 키워드로 뽑아볼 수 있을 겁니다. 첫 시작이 어렵다면, 인터넷을 검색해서 방법을 찾아보기도 합니다.

도서관에 가서, 글쓰기 또는 자서전 쓰기의 목차와 개략적인 내용을 참고해봐도 좋습니다. 글 쓰는 것이 처음이라서 낯설게 느껴진다면, 글쓰기 수업이나 독서모임에 참여할 수도 있다.

그런데, 막상 재직 중일 때는 생각만 앞설 뿐 몸이 움직이지 않습니다.

아직은 퇴사한 게 아니라고, 나는 현역이라고 자위합니다. 할 수 있는 게 없어서 책을 쓰고 있다는 생각에 미치면, 자신이 마치 뒷방 노인네가 된 기분입니다. 자서전은 인생이 다 살고 나서 쓰는 것이라면 선입관에 사로잡히면, 마음은 좀처럼 움직이지 않을 겁니다.

그런데, 여기서 생각의 전환이 필요합니다.

'책은 인생의 끝자락이라서 쓰는 게 아니라, 앞으로 남은 인생을 잘 살기 위

해서 매듭을 짓고 가는 것이다.'

'글쓰기나 다른 책을 출간하고 퇴직한다면 훌륭한 기반이 되어 있을 것이다.'

덧붙여, 첫 번째 글쓰기는 자기가 제일 잘 아는 주제를 가지고 연습을 시작해야 합니다. 내가 가장 잘 아는 이야기이므로 전개 흐름이 어색하면 금방 눈에 들어옵니다. 글로 옮기는 순간에도, 내용들이 머릿속에 그려집니다.

이렇게 책을 한 권 내고 나면, 또 다른 책을 쓴다는 게 만만해지기 시작합니다.

다른 것도 그렇지만, 글쓰기에도 경험보다 더 값진 자산은 없습니다. 최근에는 독서모임이나 전자책내기 공저 모임에서, 옴니버스 방식의 글쓰기를 하기도 합니다. 혼자서 한 권의 책을 완성하기 부담스러운 아마추어 작가끼리 모여서, 각자의 에피소드를 끄집어내고 이를 묶어서 한 권의 책을 완성하는 것입니다.

책을 내 보면 압니다.

책을 낼 때마다 또 다른 세상이 보이고, 그만큼 성장해 있는 자신을.

이를 통해서, 작가로서 살아가는 첫 단추는 끼울 수 있습니다. 이에 기반하여 강의 제안을 받거나 또 다른 협업 제의가 있을 수도 있습니다.

외부에서 연락이 오는 것과 상관없이 책을 출간하고 나면, 그 다음 목표를 잡아보는 세기가 됩니다. 출간한 책을 동영상으로 제작해 볼 수도 있고, 다음 책의 주제도 떠 올려 볼 수 있습니다.

자신이 붙으면, 글쓰기의 이론적인 부분을 보완해서 다른 이들의 책 출간을 도울 수도 있습니다. 책을 출간하고, 글쓰기에 관심 있는 사람들끼리 모이는 자리에 참석하면 자연스럽게 다음 단계에 할 수 있는 일들이 떠 오릅니다.

이 모든 것들은 내가 책을 출간하고 나서야, 생각해 볼 수 있는 것입니다.

하지만 내 이름으로 된 책 한 권 없다면, 생각하기 어려운 활동들이 될 것입니다.

재직 중에 그려보는 퇴직 후의 삶이 막연할 수록, 원고 초안부터 써 보는 것을 추천합니다. 이미 퇴사를 했다면, 스스로 마음을 다잡고 차분히 과거와 현재, 미래를 글로 표현해 보기를 권합니다. 이 과정을 버텨내면 그 다음 희망이 보이기 시작합니다.

시대 트렌드를 고려한 책 출간

- 마케팅과 영업을 고민해 보지 않았다면

인터넷이 활성화되기 전에는 신간도서를 출간한 후 홍보채널이 많지 않았습니다. 그때는 대개 신문이나 출간기념 사인회, 또는 서점에서 홍보를 해주는 것이 대부분이었습니다.

하지만, 지금은 다양한 홍보 채널이 등장했습니다. 네이버 카페나 블로그, 유튜브 채널 등 SNS을 통해서 책의 내용을 소개하기도 하고, 제삼자에 의해서 책의 서평이나 느낀 점을 요약해서 전달하기도 합니다. 이것은 시대 현상이며, 전통적인 출판사나 서점도 피해갈 수 없는 흐름입니다.

만약 책을 한 권 출간하고 싶다면, 이런 출판과 유통의 흐름은 어느정도 파악을 할 필요가 있습니다. 전혀 배경지식 없이 책 한 권 내겠다고 욕심만 앞서는 경우에는, 오히려 스트레스를 심하게 받을 수도 있습니다. 책 출판의 과거 흐름이 궁금하다면, 이동준 저자님의 도서 [전자책 시대, 저자는 어떻게 탄생하는가?]의 일독을 권합다. 제목만 보면, 전자책에 대한 이야기만 있을 듯하나, 책의 전반부에는 출판사와 유통채널에 대한 현실적인 얘기가 많이 담겨 있습니다.

아래는 책의 일부입니다.

"베스트셀러로 독자들의 구매가 집중되면 판매량이 적은 책들은 이전보다 훨씬 판매량이 떨어지게 된다. [중략] 이 위험성을 감안해 출판사들은 초판 출간 부수를 줄이고 있는 상황이다. [중략] 10년 전만 해도 연간 2만 종의 신간이 나오던 시장이 10년이 지나지 않아 7만 종 가까이 늘었다. 출판사가 늘어난 이유도 있겠지만, 신간 중심으로 움직이는 출판 환경의 변화 탓이다."
– 전자책 시대, 저자는 어떻게 탄생하는가?, 이동준

10년 전에 출간된 책에서 언급하는 내용이지만, 출판계의 현실은 지금도 별반 다를 게 없다고 생각됩니다. 그때와 다른 점은 전자책을 출간하고 유통하는 채널이 더 늘어났다는 정도일 것입니다. 인지도가 없는 초보 무명작가가 종이 책을 전통적인 출판사를 통해서 출간하려고 했을 때 맞이하는 현실은 10년 전보다 나아진 게 없다고 할 수 있습니다.

"책은 역시 종이책이지~"

하는 낭만으로 접근하기에, 지금의 출판 및 유통시장은 전쟁터입니다.

저자도 살아남고, 출판사도 살아남아야 다음 책을 기약할 수 있을 텐데, 현실은 녹록하지가 않습니다. 누군가는 앞으로 출판사는 '멀티미디어 제작 플랫폼'으로 변신해야 한다고 얘기하는 배경이기도 하다.

종이책이든, 전자책이든 출간만 한다고 판매가 보장되지 않는 시대입니다. 직간접적으로 마케팅과 영업을 효율적으로 하지 않으면, 초라한 결과를 성적표로 받아들게 될 것입니다. 즉, 종이책의 경우에 초판을 1,000~1,500부 찍어내면서도, 완판 되기가 어려운 것이 현실입니다. 전자책도 인세가 종이책보다는 높지만, 더 많은 판매와 수입이 저절로 일어나지는 않습니다.

그렇다면, 이런 시대적 배경에서 어떻게 글쓰기로 경제적 수입을 얻고, 다음 글쓰기 주제로 넘어갈 수 있을 것인가에 대한 나름의 해법을 미리 생각해 두어야 합니다.

노파심에서 당부의 말씀을 드리자면, 지금 하는 얘기들은 철저히 무명의 초보 작가 입장을 대변하는 글입니다. 이렇게 트렌드를 고려했을 때 염두에 두어야 할 책 출간을 위한 고려사항들입니다.

먼저, 콘텐츠이다

경제, 인문학 등 최신 트렌드를 쫓아가는 콘텐츠

많은 이들이 관심을 가지나, 아직 관련도서가 많지 않은 콘텐츠

산발적인 정보만 널리 알려져 있어서, 이를 통합해서 인사이트를 제공하는 콘텐츠

자신의 실제 사례를 중심으로 엮어서, 타인의 삶에 영향을 끼칠 수 있는 주제의 콘텐츠

이런 콘텐츠들이 인기를 끄는 주제 중 하나입니다. 즉, 내가 자신 있는 분야를 파고 들어서 글을 써 본다면, 독자들이 관심을 가질 가능성이 높아진다는 의미이기도 합니다.

다음으로 어떤 방식으로 출간할 것인가 하는 문제이다.

종이책으로 출간하고 싶은 욕심이 있을 수 있습니다. 하지만 종이책을 제작했을 때 경제적 수입은 기대치를 한참 못 미친다는 것을 이해하고 접근해야 할 필요가 있습니다.

교보문고 등에서 진행하는 POD서비스로 소량의 종이책을 제작할 수는 있습니다. 그렇더라도, 경제적 효과는 마찬가지라고 생각하는 것이 합리적인 접근입니다.

이제 전자책의 인세를 종이책이 따라가지 못하는 게 현실입니다.

기존의 출판사를 통해서 전자책을 출간하더라도, 전자책이 종이책보다 인세가 더 높습니다. 하지만, 전통 출판사가 아닌 온라인 전용 출판사를 통해서 전자책을 판매하는 경우에, 더 높은 인세를 받을 수 있습니다. 어느쪽을 결정할 지는, 작가가 판단해야 합니다.

또 하나 고려해 볼 것은, 어떤 유통경로를 고려하느냐이다.

전통적인 방식은 출판사에서 종이책 또는 전자책을 제작하고, 유통사인 서점 등을 통해서 판매하는 것입니다. 하지만, 지금은 유통에서 예전과는 확연히 다른 분위기입니다. 마음만 먹는다면 1인 출판사를 설립해서 직접 자신의 책을 유통시킬 수도 있고, 1인 출판사도 ISBN인증을 받은 책을 유통할 수 있는 시대가 되었습니다.

텀블벅 또는 크몽과 같은 사이트를 통해서도 전자책을 내놓을 수 있습니다. 또는 스마트스토어에서도 도서 판매는 가능합니다.

책을 내고 싶은데, 마케팅이나 영업을 고려하지 않는다면 위와 같은 흐름으로 진행될 것입니다. 하지만, 일절 마케팅이나 영업을 하지 않고 위와 같은 절차로 도서를 내놓으면, 구매가 일어나지 않습니다. 그렇다고, 일반인이 따로 비용을 내고 마케팅이나 영업을 한다는 것은 여간 부담스러운 게 아니다.

아무것도 하지 않으면 아무 일도 일어나지 않는다고 했듯이, 손 놓고 있자니, 이것 또한 마음이 편하지 않습니다.

이럴 때 해 볼 수 있는 셀프 홍보방법들이 있습니다.

본인의 관심과 노력에 따라서, 어느 정도 효과를 기대할 수 있는 방법들입니다.

블로그 등 SNS활동

: 이제까지 활동이 없었다면, 도움이 되지 않을 수도 있다. 하지만, 계속 교류해 오던 이웃들이 적지 않다면, SNS에서 적극적으로 홍보를 하는 효과가 있다.

도서 요약본 제작 및 배포

: 도서가 어떤 내용인지 흐름을 이해할 수 있는 정도의 요약본을 전자책으로 작성하여 배포한다.

이벤트 실시

: 서평 이벤트, 출간기념 감사 이벤트, 선착순 이벤트 등 출간기념 다양한 이벤트로 홍보 기회를 마련한다

패키지 상품 기획

: 책 한 권 판매에 매몰되지 않고, '도서＋코칭' 등으로 패키지 상품을 만들어, 온라인 몰에 상품을 등록한다.

위와 같이 마케팅이나 홍보 대행사를 통하지 않고, 출간하는 서적의 판매를 늘리기 위한 다양한 방법을 시도하다 보면, 독자와의 소통도 더 활발해질 것입니다. 이를 통해서 책 판매도 늘리고, 개인 차원의 마케팅도 계속 진화를 하게 될 겁니다. 또한, 솔루션은 한 가지만 있는 것이 아니므로, 자신에게 가장 잘 맞는 방법을 선택하는 지혜가 필요합니다.

이렇게 퍼스널 브랜딩을 강화하고, 1인 플랫폼을 구축할 수 있다면 제2의 연금을 기대할 수도 있을 것입니다.

책을 내기 전 준비해야 하는 것들

- 구분해서 미리 챙겨두면 좋은 것들

하나의 프로세스에는 여러 단계가 내재되어 있다

스포츠나 무술을 배울 때, 아무리 복잡한 동작이라도 그것을 구분해서 배울 수 있다면 과정을 정확하게 따라할 수 있습니다. 물론, 노력이 뒤따라야만 결실을 맺을 수 있겠지요. 이때 고수 또는 전문가가 옆에서 이끌어 준다면, 쉽게 다음 단계로 나아갈 수 있습니다. 왜냐하면, 하수의 눈에는 구분 동작이라고 쉽게 보이지는 않기 때문인데요.

언어도 마찬가지이다. 처음 말과 글을 배울 때는 아주 천천히, 그리고 조금씩 익혀 나가는 것이 필요합니다.

예전에, 영국 남부 지방에 직장 동료와 함께 한 달간 출장을 간 적이 있습니다. 도착 직후에, 영국 남부지방 특유의 강한 액센트를 처음 경험하다 보니, 그들과 길게 대화하는 것이 부담스러웠습니다. 그 곳에서 적응하는 날이 계속 되고 있었는데, 하루는 한국에서 같이 간 동료와 우리나라 말로 커피 한 잔을 하면서 이런저런 이야기를 나누고 있는데, 지나가던 영국인이 다가와서는 "너네 둘이서 버라 버라 버라~"라고 하는데 도무지 무슨 말을 하는지 모르겠다고 하는 겁니다.

그래서 한 마디 돌려 주었습니다.

"나도 네가 무슨 말하는지 모르겠다"

내용을 구분해서 들을 수 없다면, 그건 마치 알 수 없는 소음에 지나지 않다는 걸 새삼 느끼는 시간이었습니다.

책이 출간되는 프로세스를 이해한다는 것

'책을 써 보라고, 지금은 누구나 작가가 될 수 있다'라고 주변에 이야기하면 모두 손사래를 칩니다. 그리고 한 마디 덧붙입니다. '그건 아무나 하는 게 아니라고.'

그럼 속으로 혼잣말을 합니다.

'나는? 졸지에 대단한 사람이 된 건가?'

책이 출간되는 과정에 대한 이해가 없다 보면, 설렘이 보다는 두려움이 앞섭니다. 그 두려움을 뛰어넘기 위해서는, 나만의 특별한 목표가 있거나 또는 꼭 이뤄내야 하는 간절함이 뒤따라야 할 것입니다.

그렇지 않더라도 전체 프로세스를 이해하고 있다면 다음 단계를 미리 그려 보면서, 한 단계씩 나아갈 수 있습니다. 그래서 원고 쓰는 것에는 부담이 없는데, 책 출간 과정에 부담을 느끼는 분들에게는 전자책 한 권부터 내는 걸 권해 드립니다.

이렇게 전체 프로세스를 이해하는 과정을 거치고 나면, '어? 나도 해 볼 수 있겠는데?' 하고 자신감이 증가합니다. 마치 중학교에 올라가서 초등학교 교과서를 보면 만만한 것과 비슷한 이치일 겁니다.

덧붙여 사전 인지가 필요한 부분이 있다면, 책을 출간한다는 것은 혼자 힘만 으로는 안된다는 것을 인정할 수 있어야 합니다. 왜 그런지 각 단계별로 주체를 구분하면 아래 표와 같습니다.

구분	단계 1	단계 2	단계 3
일상 언어	나만의 글쓰기	쓴 글을 모아서 책 만들기	책을 시장에 내놓기
전문 용어	원고 작성	출판	유통
주체	작가	출판사	서점

이런 그림이 그려지면, 내가 할 수 있는 것은 무엇에 집중해야 하는지 명확해 집니다. 그리고 다음 단계는 누가 해 주겠지? 하고 막연히 기대하는 것이 아니라, 대화 상대를 명확히 파악하게 됩니다.

예를 들어서, 원고가 완벽하지 않아도 초안의 뼈대만 잡히면 출판사에 연락하면서, 이후에 편집자와 협의를 할 것이라고 예상을 할 수 있습니다. 내가 이미지 작업에 약하다면, 디자이너가 상주하는 출판사에 노크를 할 것인지, 아니면 온라인 출판사를 선택하되 외주로 디자이너 작업을 맡길 지 판단이 섭니다. 한 걸음 더 나아가면 상업적 성공을 바라는 유통 서점의 입장이 되어 볼 수도 있습니다. 즉, '내가 만약 독자라면?' 하는 관점에서 자신의 원고를 들여다볼 수 있게 됩니다.

각 단계에 필요한 마인드와 출력물

종이책의 경우에는 전자책에 비하면, 작가가 온전히 원고에 집중할 수 있는 편입니다. 물론, 그 원고가 대중성을 가지기 위해서 편집자와 잦은 소통을 하고 편집 작업을 해야 하는 것은 피할 수 없습니다. 단계별로 요구되는 작가의 마인드와 출력물을 다음과 같이 나눠볼 수 있습니다.

구분	단계 1	단계 2	단계 3
마인드	일단 작성한다	출판사의 의견을 반영한다	독자의 의견을 존중한다
출력물	목차와 원고 뼈대	최종 원고, 표지, 홍보물	채널별 홍보, 예약판매
전문 용어	출판사와 협의용 초안	퇴고와 탈고	마케팅 / 영업
주체	작가	작가 / 출판사	작가 / 출판사 / 서점

전체 사이클을 보면 작가가 할 수 있는 부분과 없는 부분이 명확히 나눠집니다. 이것을 이해하고 원고 집필에 들어가면, 보다 편안한 마음으로 작업에 임할 수 있습니다. 불필요한 힘을 쓰지 않아도 됩니다.

이에 비하여, 전자책은 작가의 역할이 더 많이 요구된다고 할 수 있습니다. 누구의 비중과 역할이 큰가에 따라서, 인세 수입의 배분 구조도 달라집니다.

작가의 고유 영역과 그 외 영역

종이 책이든, 전자책이든 원고는 작가의 영역입니다. 종이책의 경우 편집자가 원고를 한 번 더 검토하고 의견을 작가에게 전달하지만, 전자책의 경우에는 플랫폼의 공통 요구사항만 전달한다는 차이는 있습니다.

따라서, 작가는 출판사에 연락하기 전에 작가가 진행할 영역이 어디까지인지, 사전 인지를 할수록 당황할 일이 적어집니다. 그리고, 이에 맞추어서 아웃풋을 만들어 낼 준비가 되어 있어야 합니다. 대표적으로 원고 이외에 다음과 같은 내용이 포함될 수 있습니다.

작가와 책에 대한 홍보 문구

책 요약 소개

홍보 가능 채널 활용 방안

출간기념 이벤트

추가로 이해를 필요로 하는 부분들도 있습니다.

☆ 출판문화산업 진흥법 〈 약칭 : 출판법 〉

법률 제19599호 일부개정 2023. 08. 08.

제6장 간행물의 유통 등	제22조(간행물 정가 표시 및 판매) 판례 문헌 판례로
제22조 (간행물 정가 표시 ...	①출판사가 판매를 목적으로 간행물을 발행할 때에는 소비자에게 판매하는 가격(이하 "정가"라 한다)을
제23조 (간행물의 유통질서)	정하여 대통령령으로 정하는 바에 따라 해당 간행물에 표시하여야 한다. [개정 2012.1.26, 2014.5.20] [[시
제24조	행일 2014.11.21]]
제25조 (불법복제간행물등...	② 발행일부터 12개월이 지난 간행물은 대통령령으로 정하는 바에 따라 정가(定價)를 변경할 수 있다. 이
제25조의2 (포상금)	경우 정가표시는 제1항을 준용한다. [신설 2014.5.20, 2021.8.10] [[시행일 2022.2.11]]

도서 관계 법령: 출간 후 12개월까지는 최대 10% 이내의 할인이 가능하다. ISBN 을 받지 않아서 재능마켓에서 유통되는 전자책의 경우는 자유로운 편이다. 또한, 종이책을 출간하게 되면 출판권 및 배타적 발행권을 출판사가 소유하게 되는 것 이 일반적이며, 전자책만 온라인에서 출간하는 경우에는 플랫폼마다 차이가 나 므로 개별적으로 확인이 필요하다.

작가, 그리고 출판사/플랫폼의 역할: 계약 단계에서 상호 역할분담을 명확히 하 고, 충분히 숙지해야 한다. 서로의 역할에 충실하지 않을 경우에 오해가 쌓이고 충돌이 있을 수도 있다.

시대가 작가에게 요구하는 것

예전에는 작가가 신비주의를 마케팅 전략으로 활용하던 시기가 있었습니다. 즉, 작품으로만 독자들과 만나고, 그 외 일절 노출이 없는 경우입니다. 이 시절에는 단방향 소통이 상식이었습니다. 담배 연기 자욱한 골방에서 사색하는 모습이 낭만적으로 비쳤고, 출간 기념회 등이 아니면 작가와 소통하기가 어려운 시기였습니다.

하지만, 지금은 시대가 바뀌어서 작가들 대부분이 본인만의 SNS 소통 채널을 두고 독자와 소통을 꾸준히 하는 편입니다. 이를 통해서 팬들에게 잊혀지지 않고, 다음 작품의 잠재 독자들을 계속 확보해 나갑니다.

최근 근황은 어떻게 되는지?

어떤 글감들을 생각하는지?

다음 출간 소식은 어떻게 되는지?

그 외 독자들의 궁금증에 대한 답변 등

또한, 소비자이자 생산자로서 활동을 넓혀가는 독자가 늘어나는 추세라는 것도, 기존 작가를 긴장시키는 요인 중 하나입니다.

중장년의 책 쓰기 수업

- 책 쓰기 수업이라고 쓰고, 컴퓨터 수업이라고 읽는다

어느 날 지인이 느닷없이 질문을 합니다.

"언제부터 글을 쓸 생각을 했어?"

한 번도 이런 고민을 해 본 적이 없었기에, 선뜻 답을 하지 못했습니다. 그러나 이내 아무 일 아니라는 듯 내뱉었습니다.

"어느 날 생각나는 대로 글을 써 보니, 책이 되었다"라고 얼버무렸습니다.

그런데, 그때부터 이 질문이 머릿속을 맴돕니다.

'난 언제부터 글을 쓰고 싶었나?'

어린 시절, 원고지에 맞춰서 글을 쓰는 것이 힘겨웠던 기억은 나는데, 어설프게 시조 형식으로 운문을 만들려고 했던 잔상은 남아 있는데, 제대로 된 글을 쓴 흔적은 어디에도 남아 있지를 않네요.

그런데 한 가지 확실한 것은 마음에 양식이 되는 책을 계속 읽어 왔다는 겁니다. 예를 들어서, 채근담이나 삼국지, 또는 톨스토이의 책도 어릴 때 읽은 기억들이 있습니다. 성인이 되어서는 경제인이나 리더들의 자서전을 많이 읽었습니다. 대표적으로 간디, 잭 웰치, 정주영 회장 등입니다.

퇴사를 하고 시작된 고민

직장을 퇴직하고, 혼자만의 시간을 가지면서 정말로 내가 하고 싶은 게 무엇인지를 고민해 봅니다. 한 번도 문학소년을 꿈꿔 본 적이 없었던 한 남자가, 중년이 되어서 내린 결론은 책으로 밥 먹고 살아 보겠다는 겁니다.

왜 그랬을까요?

20여 년의 직장생활을 다시 하고 싶지 않다는 객기 때문일까요? 아니면, 과감히 창업을 할 배짱이 없기 때문이었을까요? 그 보다는, 현실적이고 경제적인 이유로 뭉개버린 적성을 찾고 싶었던 걸까요?

어떤 이유 때문인지 명확하지는 않습니다. 허나 다른 작가의 책을 읽고, 내가 쓰고 싶은 주제를 잡아서 글을 쓰는 시간이 행복하다는 것은 부정할 수 없는 사실이었습니다.

나만의 생각과 경험은 어느새 원고로 쌓여가고, 책으로 내고 싶은 욕심이 생깁니다. 그래서 어떻게 책을 낼 수 있는지 둘러보니, 대세는 전자책이라는 판단이 들었습니다. 종이책보다는 전자책이, 독자를 손쉽게 만나도록 해 준다는 매력도 있었습니다.

그래서, 출판 시장을 들여다봅니다. 작성하던 원고를 잠시 미뤄두고, 출판 업계가 어떻게 지나 왔는지 그리고 앞으로 어떻게 변해갈지 내용을 찾아보니 흥미로웠습니다. 마치 노키아로 대표되는 휴대폰의 변천사와 여러모로 닮은 점도 눈에 띄었습니다.

그렇지만 전자책을 어떻게 출간할 수 있는 지를 잘 요약해 주는 자료를 찾기는 어려웠습니다. 그래서 직접 알아보기로 했습니다. 그동안 시도했던 출간 방법들입니다.

• 전통 출판사에서 종이책과 동시에 발간한 전자책

• 텀블벅을 통한 전자책 펀딩

• 크몽에 전자책 (전자문서) 등록 및 판매

• 온라인 출판사 ʼ작가와ʼ, ʼe퍼플ʼ, 을 통한 전자책 등록 및 판매

주요 출간서적

펀딩, 재능마켓 그리고 온라인 출판사에 전자책을 등록해 보니, 온라인 출판 시장이 한눈에 들어오기 시작했습니다. 숲을 볼 수 있으니, 이제 다시 나무에 집중하면 됩니다. 이제는 원고를 준비하면서, 전략적인 선택을 할 수 있게 되었습니다.

무턱대고 재능마켓의 문을 두드린다고 좋은 성과를 보장하는 것이 아니라는 것도 알게 되었고, 펀딩에 적합한 주제가 있다는 것도 이해하게 되었습니다. 종이책 시장에서는 출판사마다 선호하는 장르가 있듯이, 온라인 출판사들도 개별적인 특색이 있다는 것을 직접 경험했습니다.

시대 흐름에 맞추어 책을 내는 전략적 판단

온라인 출판사를 이용할 때, 출간 목적에 따라서 어디에서 책을 낼지 결정을 할 수 있습니다.

· 출간 방식

  – 종이책

  – 전자책

· 분류

  – 문학

  – 비문학

· 원고

  – 워드 또는 한글

  – PDF 또는 epub

- 인세

  – 펀딩 또는 재능마켓

  – 온라인 출판사

위 항목에 대한 작가의 기준을 세우고, 이에 가장 적합한 온라인 출판사를 선택하면 됩니다. 물론, 각 플랫폼의 메뉴를 익혀야 내 책을 등록할 수 있습니다.

구 분		수익율 (인세)	비 고
종이책	전통 출판사	8%~12%	편집자, 디자인 상주
	자비 출판	30~50%	자비 부담있음
	자가 출판	15~30%	
전자책	텀블벅/크몽 등	80~85%	유통에 집중, ISBN 번호 없음
	온라인 출판사	40~60%	유페이퍼, 이페이지, 작가와
	온라인 출판사	15~20%	e퍼플, 위펍, 부크크 등

출간 경로별 예상 수익

* 출판사별 예상 수익은 가변적이라서, 별도 확인을 해 보셔야 합니다.

컴퓨터, 휴대폰으로 대변되는 IT기기와 친하지 않다면 사이버 공간의 벽과 마주하게 됩니다. 알고 나면 아무것도 아닐 수 있지만, 전통적인 출간 방식만 알고 있다면 어디서부터 시작해야 할지 막막할 수 있습니다.

각 온라인 플랫폼의 특성과 기능들을 익히는 작업이 번거롭고 수고스럽더라도 넘어야 할 산은 분명합니다. 그리고, 한 번 익히고 나면 갈수록 편안함을 느끼게 될 것입니다. 하지만, 자꾸 도망가려 한다면 내가 설 자리는 없을 것입니다.

내 인생이 원고가 되는 4050 책 쓰기 수업

온라인에서 종이 책이나 전자 책을 출간해 보면, 그리 어렵지 않고 실용적이라는 생각을 했습니다. 집에 컴퓨터만 있으면 누구나 책을 낼 수 있는 시대가 된 거지요. 누구나 공유할만한 인생 스토리는 가지고 있으니까요. 하지만, 온라인 플랫폼이 낯선 이들에게는 먼 나라 이야기라는 것을 알게 되었습니다.

그래서, 온라인 책 쓰기 수업 과정을 열었습니다. 이 수업의 특징은 다음과 같습니다.

· 중장년을 대상으로 한다

· 원고 초안은 내 경험에서 나온다

· IT기기가 나의 발목을 잡는다

· 온라인 플랫폼에 책을 올리는 것이 너무 어렵다

물론 목차 잡기와 글쓰기도 다루고 있습니다. 하지만, 이런 내용은 시중에 출간된 책들을 통해서 보완할 수 있습니다. 내 몸이 겪어온 시간들, 기억하는 이벤트들을 어떻게 원고로 풀어 낼 지는 스스로 방향성을 잡을 수 있도록 안내를 합니다. 하지만, 이보다는 카카오톡, 구글 드라이브, 온라인 플랫폼 활용을 구체적으로 알려줍니다. 또한 한 번 접해 본 적이 없는 온라인에서 제공되는 툴을 활용하는 법도 알려 줍니다.

그래서 교육 시작 전 사전 컨설팅을 꼭 진행하려 합니다. 개인별 어려움이 아니고, 그룹 수업에서는 일대일 설명을 해 주기 어렵기 때문입니다. 교육이 끝나더라도, 필요하다면 전자책 등록도 함께 진행을 해 드립니다. 강의를 들었다고 모든 것을 숙지하고 있는 것은 아니니까요. 수업 시간에 진도를 따라가기도 벅찬 수강생들을 위해서 녹화본을 제공합니다. 나중에 몇 번이고 반복해서 혼자 할 수 있도록 하는 것이 목적이기 때문입니다.

전자책 제작에 필요한 툴

01 상세 페이지 작성 툴

02 이미지 픽셀 조정 툴

03 이모티콘 사이트

04 목업 사이트

05 캐리커처 제작 사이트

Part 02. 글은 이렇게 쓰자

글쓰기, 어렵다? 쉽다?

- 각자에게 맞는 방법이 있다

출간 후의 변화

지인들을 만나면, 먼저 나에게 물어봅니다.

"대단하다, 이번에 책을 냈다면서?"

(내가 아는 너는 그런 사람 아니었잖아?)

종이책 한 권을 출간하기 전에는 몰랐습니다. 그런데, 그 파급력은 생각보다 대단했습니다.

"이래서, 뭐든지 해 봐야 한다고 하는가 보다." 라는 경험이었습니다.

그곳에 갔을 때, 비로소 알 수 있는 게 있다고 얘기하는가 보다.

책을 내고, 곧 브런치 작가를 신청했는데 바로 당선이 되었다: 출간한 책과 동일한 주제로 신청한 게 주효했다고 생각이 들었다.

지인이 아무도 없는 온라임 모임에 참석하니, 작가님이라고 불러준다: 다른 이들은 서로 선생님이라고 부르는 상황이었다.

1인 지식사업가들과 얘기하면, 많은 분들이 부러워하신다: 십 년 넘게 강의를 하시면서 내 책 한 권 내는 것은 어려워 하시는 분들이 많았다..

직장을 다니는 동안에 2번의 공동저자 참여와 1번의 단독저자 출간 경험이 있었습니다. 이렇게 3번의 종이 책 출간을 경험하고 나니, 출간 프로세스나 책 쓰기에 크게 부담을 느끼지는 않게 된 것은 큰 소득이었습니다.

비문학으로 분류되는, 에세이 또는 자기계발 서적이지만, 이제 큰 주제만 잡히면 책 한 권 쓰는 게 어렵지 않겠다는 생각을 갖고 있습니다.

도서 출간 vs 해외여행

책을 낸다는 것은, 마치 해외여행을 여러 번 다니다 보면, 다음에 낯선 국가로 여행을 가더라도 덜 부담스러운 것과 비슷한 느낌을 받습니다.

해외여행과 출간 작업에는 몇 가지 공통점이 있습니다.

처음이 제일 어렵다: 혼자 나가는 첫 번째 해외여행도, 나의 첫 번째 책 출간도 멀게만 느껴진다

매번 새롭다: 같은 듯 다른 경험들을 한다

설렘과 긴장감이 공존한다: 낯섦에 대한 복합적이 감정이 올라온다

성취감이 있다: 과정이 계획대로 되지 않을 때도 있지만, 마무리가 되고 나면 또 다른 시도를 해 보고 싶다

> 내 방식대로 만들어 가면 된다: 계획수립도, 그 계획을 수정하는 것도, 그리고 마무리까지 내가 할 수 있는 방식으로 밀고 나가면 된다

도서관에 그 많은 책들, 서점에 전시되어 있는 셀 수 없는 종이책이 있지만, 주변 지인들 중에는 책을 내 본 경험이 있는 사람이 드뭅니다. 그렇다 보니, 출간 후에 지인들 또는 모임에 나가면 어떻게 작가가 되었는지 물어보는 경우도 종종 있습니다. 이제는 누가 물어보면 이렇게 대답을 해 줍니다.

"처음 해외여행을 갈 때랑 비슷한 느낌이야"

여행을 가서,

· 길을 잃었다면

· 여권을 분실했다면

· 예상치 못한 인연을 만났다면

· 예전에 미처 보지 못했던 무언가를 깨달았다면

계획에 없던 일들이 일어날 수 있고, 시작된 여행은 마무리가 되어야 합니다.

오늘 즐거운 하루를 보냈어도, 내일 하루는 아무도 모릅니다. 혹시 생각지도 못한 어려움에 처하게 되었다고, 여행지에서 아무것도 하지 않고 포기할 수는 없겠지요.

개인적으로는 글쓰기도 마찬가지라고 생각합니다. 전반적인 구성을 구조화하고, 개략적인 목차를 잡아보는 것도 좋고, 시선을 끌기 위해 두괄식으로 전개하고, 글의 흐름을 독자의 입장에서 펼치는 것도 중요합니다.

하지만, 이런 모든 것들이 부담스럽다면 내가 마음 내키는 대로 일단 적어보면 됩니다. 내용을 먼저 적어볼 수도 있고, 목차부터 완성해 볼 수도 있습니다. 독자가 어떻게 받아들일지 고려하지 않고, 나의 생각과 감정에 집중하여 글을 써도 문제가 없습니다. 그 다음에 일어날 일은 지금 하고 있는 일을 끝내고 고민해도 늦지 않습니다.

내가 지금 당장 할 수 있는 것부터 하는 것. 이것이 글쓰기의 시작입니다.

한 번에 하나씩

글을 썼는지, 안 썼는지. 처음에는 오로지 이것으로 판단하는 것이 중요합니다. 내 머릿속에서 글을 써야지 하는 것과 실제 적는 것은 차원이 다른 이야기입니다. 이후의 출간과정부터 걱정해서 지금 할 수 있는 일을 미뤄서는 안됩니다.

초고라는 결과물을 가지고 출간을 할지 말지를 고민하면 됩니다. 편집과 퇴고작업을 최소화하고 싶으면, 그에 맞추어서 출간 프로세스를 진행할 수도 있습니다. 꼼꼼한 편집을 거치고 싶다면, 인지도가 있는 출판사의 문을 두드려 보는 것도 도움이 됩니다.

본인의 글이 마음에 안 든다면, 더 나은 문장으로 다듬기 위해서 온라인과 오프라인에서 수업을 들을 수도 있습니다. 이 때에도 초안이 있기에, 모든 것이 더욱 현실적으로 와 닿습니다. 어떤 이들은 거금을 들여서 일대일 코칭을 받기도 합니다.

이 모든 것들이, 일단 내가 써 본 글이 있을 때 생각해 볼 수 있는 것입니다.

글쓰기는 어려운 것이 아니다

하지만, 글을 쓴 이후의 과정에 대한 걱정부터 앞서면, 글을 쓰는 것이 한없이 어렵게 느껴질 수도 있습니다.

하지만, 이것을 여행에 비유한다면, 첫 번째 여행에 너무 완벽하지 않아도 되는 것과 같습니다. 준비도 부족하고, 걱정이 앞서더라도 첫 번째 여행을 시도해 보아야 합니다. 그래야 이어서 떠나는 두 번째 그리고 세 번째 여행을 더 즐길 수 있게 됩니다..

글쓰기는 글을 쓰는 것이 아니다

- 그릇에 담을 내용이 먼저이다

AI가 대세입니다. 글도 써 주고, 그림도 그려줍니다. 지식과 데이터만 따지면, 인간의 한계를 벌써 넘어섰습니다. 멀지 않은 미래에 인간의 감성도 학습하지 않을까 싶습니다. 인간이 상황별로 느끼는 감정들을 기계적으로 분석하고, 해결책까지 제시할지도 모릅니다.

그런 세상이 오는 것을 반기는 것은 아니지만, 그렇다고 막기에는 미래로 가는 속도가 너무 빠릅니다. 두려워하고 피할 것이 아니라, 어떻게 AI를 잘 활용하고 슬기롭게 대처할 수 있을지 고민이 필요한 시점입니다.

하지만, 학습된 내용이 없으면 AI는 글을 쓰지 못합니다. 이 부분은 사람도 크게 다르지 않습니다. 글을 쓰기에 앞서, 먼저 내가 표현하고 싶은 내용이 있어야 합니다.

종이와 펜이라는 도구

야구 공과 배트만 있으면 누구나 야구를 할 수 있습니다. 그렇다고, 누구나 야구 방망이를 들기만 하면 안타를 치고 홈런을 날리는 것은 아닙니다. 종이와 펜만 있다면 자기만의 이야기를 써 내려갈 최소한의 외부 환경은 마련되었다고 할 것입니다. 그렇다고 하더라도 누구나 쉽게 적을 수 있는 것은 아닙니다.

추가로 이런 툴이나 도구들에 익숙해지는 시간도 필요합니다. 특히 성과를 만들어 내려면 반드시 요구되는 역량입니다. 사람의 경우, 필요한 지식이나 스킬은 교육을 통해서 도달할 수 있습니다. 하지만, 독창성이나 차별적인 작품을 만들어 내기 위해서는, 교육만으로 해결되지 않는 부분들이 있습니다. 모두가 최고가 될 수는 없겠지만, 자기만의 색깔을 가질 수는 있습니다.

그리고, 이렇게 나만의 작품을 만들어 가기 위해서는 놓치지 말아야 할 것이 있습니다.

<u>그러면 무엇에 주목해야 할까요?</u>

글의 내용이 만들어지는 과정

어떤 한 가지를 꾸준히 하고 있는 사람을 보면, 몸에 체화하는 과정을 거칩니다. 이것을 단순화하면 3단계로 구분할 수 있을 것입니다.

경험 - 갈무리 - 변화

사실 이런 과정은 아이들도 본능적으로 시도를 합니다. 예를 들어서 원하는 게 있으면 울음부터 터뜨립니다. 그래서 원하는 것을 가질 수도 있고 그렇지 못할 수도 있습니다 (경험) - 이런 경험들이 쌓이면 언제 통하고, 어떨 때는 안 통하는지 체득합니다 (갈무리) - 다음부터는 무작정 울지 않고, 이전과는 다르게 행동합니다. (변화)

그런데, 인간이 성장하고 성인이 되어 가면서 이런 작업들이 더 고도화되어 갑니다.

축구를 예로 들면, 훈련이나 시합을 합니다. 그리고, 이후에 내가 무엇을 잘

했고 어떤 부분이 부족한 지를 정리합니다. 이 과정을 거치고 나면 다음에는 조금 더 성장한 모습을 보입니다.

이는 스포츠뿐만 아니라, 대부분의 활동에도 적용할 수 있습니다. 과학자의 연구 활동이든 예체능이든 이런 과정을 거칠 때 비로소 변화 또는 성장이 일어납니다.

· 경험

　- 사전적 의미 : 자신이 실제로 해 보거나 겪어 봄. 또는 거기서 얻은 지식이나 기능

글 쓰기에서는 다른 사람이 하는 것을 보거나 독서를 하는 등 간접 경험까지 포함됩니다. 이런 경험들을 그냥 흘려 보내지 않고 축적하는 것만으로도 내공이 쌓여 갈 겁니다. 그래서, 우리가 마주하는 일상에서 경험은 무시할 수 없는 요소입니다.

· 갈무리

　- 사전적 의미 : 물건 따위를 잘 정리하거나 간수함

직간접적으로 쌓인 경험을 그대로 방치하는 것이 아니라 잘 구분하고 정리하는 작업이 반드시 있어야 합니다. 이를 통하여 단순히 알고 있는 것에 그치지 않고, 주변의 다른 것들과 어떻게 상호 작용을 할 수 있는지 고민하는 과정에서 오는 통찰이 있습니다. 제일 좋은 것은 기록으로 남기면서, 다듬어 가는 방법일 겁니다.

· 변화

　– 사전적 의미 : 사물의 성질, 모양 상태 따위가 바뀌어 달라짐

앞의 2단계를 거쳤다면 나도 모르게 달라지게 됩니다. 꼭 성장만을 의미하는 것은 아니고, 부정적인 변화가 나타날 수도 있습니다.

그런데, 부정적 변화가 꼭 나쁘다고 할 수는 없습니다. 왜냐하면, 가끔씩은 실패와 좌절을 경험하고 나서야 더 넓은 시야를 가지고, 더 많은 것을 이루기도 하니까요.

글로 담아내는 과정

위의 내용이 밥이라면, 글은 밥그릇입니다. 어떤 그릇에 담아낼 지 오롯이 작가의 몫입니다.

담백한 사기그릇, 아니면 화려한 무늬의 도자기, 그것도 아니면 일회용 플라스틱 용기에 내놓을 수도 있겠지요. 글에 활용되는 언어도 상황에 맞게 구사되어야 합니다.

하지만 아직 글로 표현하는 것이 익숙하지 않다면, 내가 쓰고 싶은 내용으로 글을 쓰는 것이 아니라 처음에는 일상 속 가벼운 주제로 연습하는 것도 도움이 될 것입니다.

일상 속 나의 이야기를 주제로 하는 습작도, 위에서 언급한 3단계를 적용하면 됩니다.

경험 – 갈무리 – 변화

· 경험

처음부터 잘 쓰려는 욕심을 버립니다. 일상 속 가벼운 주제를 잡고, 그 내용을 생각나는 대로 표현해 보는 겁니다. 이 경험이 쌓이면, 다음 단계를 진행할 수 있습니다.

· 갈무리

자꾸 연습을 하다 보면 잘 쓰이는 경우도 있고, 그렇지 않을 때도 있습니다. 그러면서 자연스럽게 나만의 표현 방식이 다듬어집니다. 이때 다른 사람들의 작품을 보고 참고한다면, 나의 주제를 다른 시선으로 바라볼 수도 있고, 보다 다양한 표현 방법을 찾을 수 있을 겁니다.

· 변화

글을 쓰고 갈무리하는 단계를 반복하다 보면, 이전과는 달라진 스스로를 발견할 수 있습니다. 계속해서 선순환이 일어나면 어느새 한 단계 성장해 있을 겁니다.

이렇게 내용과 형식을 구분하면, 글을 쓴다는 것에 대한 부담을 조금 덜어낼 수 있습니다. 글을 쓰는 것이 어려운 것이 아니라, 그 이전 단계가 부족하다는 것도 실감하게 될 것입니다. 글부터 써 내려가는 것이 아니라, 글감을 잘 구상하는 것이 더 중요하다는 것을 인지하게 됩니다.

글쓰기의 끝은

글을 쓰고, 그 글을 독자가 읽어주기를 바란다면, 책으로 내어 놓게 됩니다. 그리고, 독자들이 선택을 했을 때 비로소 나의 글쓰기는 종착역에 도착하는 것입니다.

서점에 전시된 나의 책을 누군가 집어서 읽는 모습을 상상해 보기도 합니다. 하지만, 무명작가의 책을 알아주는 독자가 그리 많지 않은 것이 현실입니다.

작가를 전혀 모르는 예비 독자가 책을 선택하는 이유는 크게 2가지가 있을 것입니다.

1. 소개

: 지인이 될 수도 있고, SNS 채널에 소개되었을 수도 있습니다. 또는 누구로부터 선물을 받을 수도 있겠지요. 요즘은 독서 모임에서 채택하는 경우도 볼 수 있습니다. 예전에 비해서 책이 알려질 수 있는 채널은 그만큼 다양합니다.

2. 홍보

: 출판사와 계약해서 출간을 하는 경우에는, 출판사에서 홍보도 진행을 해 줍니다. 그렇지 않고, 자가출판 또는 전자책을 발행하는 경우에는, 대부분 작가의 주도 하에 홍보를 진행해야 내 책의 존재감을 세상에 알릴 수 있습니다.

세상에는 알려지지 않은 채로 사라지는 많은 책들이 있습니다. 도서관에도, 이용객의 눈길 한 번 끌지 못하는 책들이 넘쳐 납니다. 글을 쓰고 나서 책으로 출간하기를 희망한다면, 글을 쓸 때부터 홍보를 고려해야 하는 이유입니다.

이제는 공감가는 홍보 글쓰기까지 작가가 책임져야 하는 시대입니다.

글쓰기가 삶의 일부가 되려면

어릴 적에는 무작정 글을 쓰기도 합니다. 교과서를 옮겨 적기도 하고, 그날 있었던 일들을 그림일기로 표현하기도 합니다.

이것은 가장 초보적인 글쓰기의 형태일 것입니다. 하지만, 단순히 사실을 나열하였다면, 시간이 지나면서 작가의 뇌리에서 지워집니다. 기억되기 어려운 단순 반복의 일상이 아니라, 공감할 수 있는 살아있는 이야기들은 대부분 작가의 적극적인 활동에서 시작됩니다.

설령, 그것이 소설이라고 해도 마찬가지입니다. 어떤 작가는 한 편의 작품을 만들기 위해서, 몇 년간 작품의 배경이 되는 실제 현장 체험에 나서기도 합니다. 그래야 현실감 있게 표현할 수 있다고 믿기 때문입니다. 우리의 삶도 이렇게 풀어낼 수 있을 겁니다. 각자의 삶을 들여다 보고, 그 조각들 중에 함께 공감할 수 있는 활동들을 나만의 언어로 완성해 나가면, 관심을 가지는 독자를 만날 수 있을 겁니다.

책을 쓰면서 각오해야 하는 것들

– 뭐든지 쉽다고 생각하고 덤비면 오산이다

자주 가는 인근의 만두집이 있습니다. 사실 이 가게는 오랫동안 야식 배달 전문점이었습니다. 홀에도 테이블 3개가 있어서, 새벽에 소주 한 잔 하러 들리는 사람들도 꽤 있었습니다.

하지만, 코로나를 지나면서 더는 버티지 못하고, 만두집으로 바뀌었습니다. 하루는 만두를 주문하고 기다리는 동안에 사장님께 말을 걸어 보았습니다.

"식당 할 때보다는 스트레스 덜 받으시겠네요?"

겉으로 보기에는 그럴 것 같았습니다. 2차, 3차로 가게에 오는 손님도 없고, 이제는 장사하느라 직원을 고용하지도 않고, 새벽 늦게까지 장사를 하지 않으니 몸도 덜 피곤해 보이고, 여러모로 이전과는 다를 것이라는 짐작이 되었습니다.

하지만, 돌아오는 사장님의 답변은 달랐습니다.

"겨울에는 장사가 잘 되는데, 재료 준비가 마음대로 되지 않아서 스트레스를 받습니다. 재고관리부터 손님들 눈에 보이지 않지만, 챙겨야 할 것들이 많습니다"

그리고, 한마디 더 덧붙입니다.

"그나마 겨울이 낫습니다. 여름은 장사가 안 돼서 스트레스를 받는데, 그럴 때는 이걸 계속해야 하나 라는 생각까지 듭니다"

만두를 사 가는 입장에서 보면 그리 복잡할 것이 없어 보였습니다. 만두도 따로 공급처가 있었고, 이걸 냉장고에 넣어 두었다가, 주문이 들어오면 쪄서 내놓으면 되는 걸로 보였습니다. 하지만, 실제 가게를 운영하는 입장에서는 그게 전부일리가 없겠지요. 가게 운영을 잘하기 위해서는 신경 써야 할 일이 한두 개가 아닐 겁니다.

책을 출간하는 것도 이와 크게 다르지 않을 겁니다.

내 마음의 우선순위

글을 쓰기로 마음먹었다면, 누가 뭐라고 해도 내 마음속 우선순위에서 이를 위한 시간이 우선순위 1, 2위를 다투어야 합니다. 그래야 글을 쓰기 위한 시간을 낼 수 있습니다. 우선순위 앞에 둔다는 것은 그런 의미가 내포되어 있습니다.

"시간이 나서 글을 쓰는 것이 아니라, 글을 쓰기 위해서 어떻게든 시간을 만들어 내야 합니다"

그런데 내 마음이 꿈틀 되어 책 출간을 준비하는 것이 아니라, 주변에서 책을 냈기에 나도 내고 싶다는 마음으로 덤벼들면 십중팔구 중간에 포기하곤 합니다.

최근에 전자책을 내면서 알게 된 중년의 여성 2분도 저에게 이런 질문을 하셨습니다.

"선생님, 부럽습니다. 저도 책을 진작부터 내고 싶었는데 아직까지 못 내고 있습니다. 어떻게 하면 좋을까요?"

그래서, 제가 이렇게 말씀을 드렸습니다.

"글을 쓰는 과정 또는 책을 출간하는 과정에서 막히는 부분이 있으면, 제가 안내를 해 드리겠습니다. 제가 도와 드릴 수 있는 부분이 있다면 기꺼이 도와드리겠습니다"

그리고, 제가 평소 생각하고 있던 내용도 함께 말씀드렸습니다.

"그런데, 본인이 노력해야 하는 부분은 저에게 이야기를 하더라도 도와드릴 수 없습니다. 예를 들어서, 시간내기, 꼭 책을 내고 말겠다는 의지를 다지는 것, 원고를 보면 볼수록 부족하다는 생각이 들어서 그 다음 단계로 넘어가지 못하게 막는 마음 등은 제가 어쩔 수 부분입니다. 스스로 마음을 다 잡아야 합니다"

책을 한 권도 안 내어본 사람에게 이런 말은 비정하게 들릴 수 있습니다. 이보다는, 따뜻한 위로와 여러 가지 감성적인 조언을 원했을 수도 있습니다. 하지만, 그동안의 경험에 비춰 볼 때, 의지가 약하고 글쓰기를 우선순위 상단에 두지 않는 사람에게 격려를 해 준다고 해서, 이전과 다른 루틴을 만들어 갈 가능성은 지극히 낮았습니다.

그래서 기회가 되는 대로, 내 마음의 우선 순위를 다시 잡고 의지를 굳건하게 다지도록 유도하는 말씀을 건넵니다.

주변의 의심과 비아냥

이제까지 안 그랬던 사람이 갑자기 무엇을 한다고 하면, 주변에서 긍정과 지원보다는 부정과 의심의 눈초리를 먼저 보냅니다. 특히 기존의 질서가 깨진다면 더욱 그러합니다.

직장을 다닐 때 경험담입니다. 기술 서적을 공저로 출간하기로 하였습니다. 그래서 매일 아침 4시에 일어나서 출근 준비를 하고 집 근처의 24시 카페로 출근하였습니다. 이곳에서 따뜻한 커피 한 잔을 시켜서 아침 8시까지 오로지 책을 집필하는 것에만 집중을 하였습니다.

이런 날이 계속되자, 하루는 와이프가 물어봅니다.

"당신 나갈 때 애들도 깨고 나도 잠을 설치잖아. 언제까지 이렇게 할 건데?"

스스로도 예정되었던 마감 일정이 늦어져서 예민해져 있었는데, 맥이 탁 풀리는 순간이었습니다. 이렇듯 책을 내겠다는 스스로의 다짐과는 달리, 외부 환경이 받쳐주지 않을 수도 있습니다. 글을 쓴다고 해서 갑자기 베스트셀러 작가가 되는 것도 아니고, 출판사에서 연락이 빗발치지도 않습니다.

그런 상황에서, 가장 믿었던 가족과 주변 지인들로부터 "네가 책을?"이라는 반응이 나오면 힘이 빠지게 되죠. 이런 상황을 겪어본 적이 없고 처음 맞닥뜨리게 되면 고민이 되기도 합니다.

"가정의 평화를 위해서, 이쯤에서 포기할까?"

"이런다고 뭐가 된다는 보장도 없는데, 이제 그만할까?"

하지만, 확실한 것은 그만두는 순간 모든 것이 리셋이 된다는 겁니다. 시간이 지난 후에 다시 시작하려면, 모든 것을 처음으로 되돌려야 합니다. 이제까지의 노력을 없던 일로 할 수 있는 것이라면, 처음부터 시작하지 않는 게 나을 수도 있습니다. 왜냐하면,

"글을 쓴다는 것은, 기나긴 자신과의 싸움이 될 가능성이 높기 때문입니다"

이건 머리로 이해하는 과정이 아니라, 몸으로 체득해야 합니다.

무시와 경멸

책을 쓴다고 잘 팔린다는 보장이 없습니다. 이건 종이 책이든 전자 책이든 다를 바가 없습니다. 이제껏 존재감이 없던 저자가 책을 낸다고 해서, 관심을 받기는 어렵습니다. 특히, 종이책을 출간하려는 경우에는 일단 출판사의 문턱을 넘어야 합니다. 작가가 원고를 투고하면, 이미 생존 경쟁에 몰린 출판사는 팔릴 수 있는 책인지, 손익분기점은 넘길 수 있을지 판단하려 듭니다. 이에 대한 확신이 서지 않는다면, 책을 선뜻 출판해 주지 않습니다.

출판사에서 작가의 원고를 거부할 때, 따뜻한 말 한마디 듣기 힘든 것도 현실입니다. 이런 반응이 나에 대한 무시가 아니라, 나의 책에 대한 대중성을 판단한 것이라고 받아들이는 지혜가 필요합니다. 개인적으로도 출판사의 문을 8번 두드리고 나서야, 책을 출간할 수 있었습니다. 처음에는 출판사에 연락하고 혹시나 회신이 왔을까 하는 설레임으로 기다렸습니다만, 계속되는 묵묵 부답에 지쳐갔습니다. 그래서 그다음에는 여러 출판사에 동시에 원고를 보내기도 했었습니다.

지금은 책을 출간했던 출판사의 본부장님과 가끔 안부를 묻곤 합니다. 그러

면 본부장님께서 덕담처럼

"다음 책 준비되시면, 언제든지 연락 주십시오"

라는 얘기를 해 주십니다.

저의 경우에 지난 6월에 직장인의 자기 계발 서적을 출간하였습니다. 나름 치열하게 성장했던 지난날을 떠올리며 기록을 남겼고, 현재 직장을 다니는 후배들에게 인사이트를 줄 수 있다고 믿었습니다. 하지만 생각보다 책이 많이 팔리지는 않았습니다. 그 당시에, 들으면 알만한 모 기업의 한국지사장님도 같은 시기에 출간을 했는데, 저와 비슷한 성적표를 받았습니다. 그분은 줄곧 해외서 자라고 사회생활을 하다가 우리나라에 들어온 지는 오래되지 않은 상황이었습니다.

제가 책을 출간하고 얼마 지나지 않아서, 모 대기업에 재직 중이신 부사장님이 자기 계발 서적을 출간하였고, 다른 대기업 CEO 출신의 자기 계발 서적도 바로 출간되었습니다. 아직 현직에 계셨던 부사장님의 판매 실적이 전직이셨던 CEO보다 훨씬 높은 판매부수를 기록했습니다.

그렇다고, 다른 저자들과 비교하면서 책을 출간한 것을 자책하지는 않습니다. 이때의 경험으로, 책은 어떻게 유통되는지를 알게 되었고, 대중성은 어떻게 확보해 나갈 수 있는지도 깨닫는 계기가 되었습니다.

줄어드는 사회활동

대필로 책을 만들거나, 오랜 시간에 걸쳐서 원고 초안이 작성되어 있는 경우가 아니라면, 원고를 작성하고 다듬는 작업에 집중적인 시간을 쏟아부어야 합니다.

그래서, 사회 활동이 많은 사람일수록 책 마무리가 쉽지 않습니다. 물리적으로 투입되어야 하는 절대 시간이 있는데, 이 시간을 확보하기가 쉽지 않은 겁니다. 하루 24시간은 정해져 있으므로, 평상시에 글쓰기에 시간 배분을 하지 않았다면, 다른 활동을 줄여서 시간을 만들어 내야 합니다.

그러려면, 책을 쓴다는 것을 공개적으로 선언해야 하는데, 이게 쉽지 않은 경우도 많습니다. 왜냐하면, 책 출간을 일단은 혼자서 조용히 진행하고 싶은데, 벌써부터 주변에서 모두 알게 되면 여간 부담스러운 게 아닙니다. 그렇다고 별 다른 이유없이, 계속해서 이런저런 핑계로 모임에 빠지고 연락이 뜸해지면, 상대방은 그 이유를 모르니 섭섭해 하게 되는 경우가 생깁니다.

이런 오해에도 불구하고, 나만의 시간을 확보해서 글을 써 내려가는 노력은 계속 유지할 수 있어야 합니다. 그래야만 버킷 리스트에 있던 나의 책 한 권을 손에 잡을 수 있습니다. 기존의 활동들도 잘하면서, 책도 잘 쓸 수 있는 방법은 없습니다.

첫 술에 배 부를 수는 없다

많은 어려움과 예기치 않은 상황 속에서 책을 완성했을 때 그 기쁨은 이루 말할 수 없습니다. 탈고를 마치고 책이 완성되는 단계에 접어들면 그동안의 노력이 주마등처럼 스쳐 지나갑니다.

그러면서, 다음 단계에 대한 기대감이 부풀어 오릅니다. 많은 작가들이 그러했듯이, 서점에서 출판기념회를 가지는 모습, 언론사 인터뷰를 하는 미래 모습을 상상하곤 합니다.

하지만, 모든 책이 이런 과정을 거치는 것은 아닙니다. 서점이나 도서관에 갔을 때, 내가 눈길 한 번 안 주는 책이 얼마나 많은지 생각해 본 적이 있나요? 책, 특히 처음 출간한 책은 작가에게 방향성을 제시해 주지만, 출간 직후에 판매가 일어나지 현실을 직시하는 순간 '이러려고 책을 냈나' 하는 자괴감이 들기도 합니다.

이럴수록 초심을 잃지 말고, 내 커리어에 한 줄을 더 해 줄 수 있는 다음 행동을 실천해야 할 때입니다.

개인적으로 종이책 출간 경험을 기반으로 전자책 도전을 이어 갔습니다. 그 시작을 다소 절차가 복잡한 펀딩으로 진행함으로써, 다른 온라인 플랫폼에서는 수월하게 전자책을 출간할 수 있었습니다.

결국 멘탈이 가른다

외부의 시선이든, 내부의 흔들림이든, 이를 버티고 이겨내기 위해서는 무엇보다 멘탈관리가 필요합니다. 스스로가 힘들어서 흔들린다면, 백약이 무효일 것입니다. 누가 아무리 흔들어도, 생각만큼 원하는 결과를 얻지 못하더라도, 가야 할 길을 의심해서는 안됩니다. 왜냐하면 의심이 길어지면 질수록, 추진력이 떨어지기 때문입니다.

'나는 꼭 이루고 말 것이다'라는 자기 암시이든, 미래에 성공한 모습을 현실로 상상하든, 나름의 멘탈관리가 요구됩니다.

따라서, 이러한 과정에서 조그마한 성공이라도 맛보게 된다면, 가는 길을 계속 걸어가는데 큰 힘이 됩니다. 그래서 결과를 만들어 낼 수 있다고 생각하는 단계에서는 나의 모든 에너지를 쏟아부을 수 있어야 합니다.

필요하다면 책의 일부로 무료 소책자를 제작해서 배포하기도 합니다. 이를 통해서 출간한 책의 홍보 효과도 기대할 수 있습니다.

주제만 명확해도 절반의 성공이다

- 가끔씩은 스스로 함정에 빠진다

뼈대 잡기의 전초작업

한 때 세간의 화제가 되었던 유행어 중에 ´순살 아파트´가 있었는데요, 이때, 국민은 배신감을 느꼈지요. 보이지는 않더라도, 당연히 들어 가 있을 것이라고 생각한 핵심자재가 빠져 있었기 때문이었는데요.

글쓰기에도 이러한 뼈대는 당연히 적용되어야 합니다. 하지만, 실제 독자가 직접적으로 느끼지 못하게 할 수도 있습니다. 왜냐하면 작가가 의도를 숨겨 놓기도 하니까요.

뼈대를 잡기 전에 주제어를 정해야, 중간중간에 그에 맞는 뼈대를 놓을 수가 있습니다. 이렇게 중심을 잡아 놓으면, 생각보다 살을 붙이는 것이 쉽게 이루어지는 경험을 하게 됩니다.

하지만. 하나의 주제를 정해놓지 않고 마음이 가는 대로 글을 써 내려가다 보면 중심이 없고, 배가 산으로 갈 수 있습니다. 이 부분은 누구보다 글을 쓰는 이가 제일 잘 파악하고 있어야 하는 부분입니다.

예를 들어서 변화된 나의 모습이라는 주제어를 정하면, 개인적으로는 현재

의 모습 – 과거의 모습 – 변화되는 과정을 주요 뼈대로 구성하고 시간의 순
서에 따라서 작성하는 편입니다.

만약 교훈이라는 주제어라면 사례 1 – 사례 2 – 간접적 메시지 (또는 직접적
메시지) 방식을 선호합니다.

빠지지 말아야 할 함정

- 2가지 이상의 주제가 등장하는 경우

주제를 정하고 뼈대를 잡아서 살을 붙여 나가는 과정에서, 나도 모르게 다른 주제로 넘어가는 경우가 있습니다. 특히 연관된 내용이 꼬리에 꼬리를 물고 이어질 때, 자주 발생하는데요. 그래서 글을 작성하는 중간중간에 자기 검열이 필요합니다. 이 내용이 핵심 주제어와 맞닿아 있는지, 아니면 다른 주제어로도 설명될 수 있는 내용인지를 들여다볼 필요가 있습니다.

목차를 작성해서 옆에 두거나, 아니면 마인드 맵과 같은 툴의 도움을 받아서 내가 의도하는 책의 구성을 구조화 또는 체계화할 수 있습니다. 그런데 글을 작성하는 것에 몰입하다 보면 자칫 놓치기 쉬운 부분이기도 합니다.

예를 들어서, 자기 계발에 관한 내용을 이야기하면서 다른 사람의 비방이나 험담에 관한 내용이 나오기도 합니다. 문제는 여기서 그치지 않고, 자연스럽게 주변 인물들에 대한 설명이 한참 이어지는 경우입니다. 하지만, 주변 인물이나 환경에 관한 이야기는 다른 주제로도 설명될 수 있는 부분이기에 깊이 들어가는 것은 바람직하지 않습니다.

이럴 때는, 다른 주제로 설명 가능한 문장들은 따로 저장해 두고 지금 작성 중인 글을 마무리하는 것도 방법이 될 수 있습니다. 그리고, 즉흥적으로 떠오른 내용은 다른 주제로 짧게나마 글을 적어 놓으면, 다음에 이어 쓰기가 용이합니다.

다른 방법으로는 내가 작성한 글을 리뷰해 줄 수 있는 지인이 있다면 의견을 요청할 수도 있습니다. 최근에는 각자 글을 작성한 후에 같이 모여서, 작성된 글에 대한 피드백을 주는 모임도 있다고 합니다.

- 남들 따라서 선정한 주제

평상시에 생각해보지도 않았고, 그래서 관심도 없었는데 주변에서 모두 그 주제에 관해서 이야기를 하니 나도 글을 써 보겠다고 덤비면, 좋은 글이 나올 가능성은 높지 않습니다.

대표적인 경우가 최근에 ChatGPT를 활용해서 최신 유행하는 주제어와 주요 내용까지 추출하는 경우입니다. 이렇게 글을 쓰는 것은 작가보다는 AI를 연구하는 기술자가 더 나을지도 모릅니다.

대부분의 주제는 어느 날 갑자기 하늘에서 떨어지는 것이 아니라, 많은 지식과 경험을 쌓아 올리는 과정에서 자연스럽게 만들어집니다. 이때 어떤 키워드에 더 힘을 주고 글을 쓸 것인지, 작가의 판단이 요구되는 부분입니다.

결국 뾰족한 주제어이다

경우에 따라서는 글감이라고 부릅니다. 주제어가 떠오르고, 이를 스토리로 엮기 위해서는 나름의 숙성 과정을 거칠 필요가 있습니다. 개인적으로는 주제어와 관련된 경험을 떠 올려 보고, 필요하다면 다른 참고 서적도 찾아봅니다. 그러면, 뜻하지 않게 내 생각이 표현되어 있는 책을 찾기도 합니다.

그리고 시간을 충분히 가져보는 것도 좋은 방법입니다. 어떤 주제어가 떠 오르고 나서 일상생활을 하다 보면, 주제어와 연결되는 상황들이 눈에 들어오기 시작합니다.

예를 들어서, 갑자기 약국에 가서 비상약을 구매해야 한다면, 그때부터 다른 상점들은 눈에 들어오지 않고 오직 약국 간판만 눈에 불을 켜고 찾게 됩니다. 즉, 내가 어떤 생각에 집중하는가에 따라서, 어제와 똑같은 풍경도 다르게 보이고 해석될 수 있습니다.

위에서 언급한 바와 같이, 이때 다른 주제어로 넘어가지 않기 위해서는 가급적 주제어를 뾰족하게 선정해야 합니다. 뼈대와 살을 붙이는 과정에서도 구체적으로 기술할 필요가 있습니다. 주제어 자체가 꼭 독창적일 필요는 없지만, 주제어 – 뼈대 – 살로 이어지는 흐름에서 일관성을 가질 수 있도록 의식을 할 필요는 있습니다.

그래야 독자가 더 몰입하는 글이 완성될 수 있습니다.

퇴고는 최소 10번을 거쳐야 한다

- 시작은 내 마음, 탈고는 편집자 마음

와이프가 아이 친구의 엄마에게 학원을 물어봅니다. 대뜸 하는 첫 질문은 이렇습니다.

"거기 잘 가르친대?"

그런데, 이런 평가가 그리 객관적이지 못합니다. 왜냐하면 그 학생의 수준에 대한 정보가 빠져있기 때문입니다. 예전에 이런 일도 있었습니다.

학창 시절에, 동네 친구가 원하는 대학의 학과에 합격을 못해서 재수를 하려고 마음을 먹었습니다. 그러자, 인근 유명 입시학원에서 어떻게 알았는지 그 친구에게 연락을 했습니다. 하지만, 재수를 하는 친구들 중에 그렇게 연락을 받은 친구는, 그 친구가 유일했습니다.

그렇게 재수 학원들은, 입시생들이 좌절하고 있었던 시간에 인재(?) 확보를 위한 전쟁에 돌입합니다. 내년 겨울의 실적을 만들기 위한 준비 과정을 지금부터 시작하는 것이었습니다.

12월이 되면 언제나 재수생의 입시 결과가 학원 광고의 한 면을 장식했습니다. 마치 우리 학원에 등록만 하면 원하는 대학에 입학할 수 있는 것처럼.

글 쓰기의 시작은

내 마음이 가는 대로 시작을 합니다. 쓰고 싶으면 시작할 수 있으니까요. 물론 유명인사가 되면 출판사에서 먼저 연락이 오기도 한다는 얘기는 들립니다. 이럴 때는 기획 출판이 이루어지는데, 출판사의 마음은 마치 S대 법대나 의대 지망생을 후원하는 재수학원의 마음일 것입니다.

자본주의 사회에서 실패 확률이 큰 쪽에 굳이 배팅하고 싶어 하지 않으니까요.

평범한 아마추어 작가에게는 이런 일이 일어나지 않습니다. 하지만, 요즘은 소위 인플루언서라는 SNS의 스타, 또는 브런치 작가에게 심심치 않게 연락이 오기도 한다고 하니, 마냥 포기할 일도 아닌 듯 합니다.

하지만, 이때까지는 모릅니다. 몇 번의 퇴고를 거쳐야 할지를...

특히, 처음 전통 출판사를 통해서 책을 출간하고자 하는 작가에게 출판은 미지의 세계입니다. 아직 출판사의 편집자를 만나기 전이니까요.

이때까지는 초안을 작성하면서 순수하게 나의 생각을 글로 옮길 수도 있고, 또는 글을 읽을 독자를 생각해 보면서 작가의 상상력을 발휘할 수도 있습니다. 여기까지는 작가의 머릿속에서 나온 내용들입니다.

작성된 창작물을 편집자에게 넘기기 전 단계에서, 나만의 이야기를 하고 싶은 작가의 마음이 강한 단계입니다. 그래서 작가는 나만이 할 수 있는 창작 활동을 전개합니다.

창작의 다음 단계는

.

이때부터는 기획이 이루어집니다. 마치 농부가 수확한 농산물을 바로 시장에 내놓지 않고 깨끗하게 세척하고 포장하는 것처럼, 철저히 시장의 평가 관점에서 준비작업을 하게 됩니다.

예비 독자를 모집하기도 전이므로, 출판사가 독자이기를 자처합니다. 매서운 눈을 가진 편집자를 배정합니다. 이때부터, 편집자가 분주해지기 시작합니다. 능력 있는 편집자라면 슈퍼맨이 되어야 하는 시기입니다. 이미 경험이 많은 편집자라면 역으로 시나리오를 짤 수도 있습니다. 즉,

· 시장의 유사 상품

· 작품의 경쟁력

· 작품의 홍보 등

을 고려하여, 어떤 작업들이 이루어져야 할지 밑그림을 그립니다.

마치 과일을 수확해서 시장에 내놓는 것과 유사합니다. 과수원에서 유통을 거쳐서 마트나 백화점에 전시하는 단계와 같이 진행된다고 볼 수 있습니다.

과수원에서 수확한 상태 그대로 시장에 내놓지는 않습니다. 어떻게 해야 더 잘 팔릴 수 있을지 과일의 외관 상태와 포장지, 그리고 박스까지 꼼꼼하게 따져보고 여러 사전 작업에 들어갑니다. 한마디로 윤기 나고 탐스럽게 보이도록 갖은 노력을 다합니다. 또한 여러가지 행사나 다양한 채널을 통하여 고객에게 다가갈 수 있도록, 할 수 있는 모든 노력은 다 하게 됩니다.

이는 출간 작업에도 그대로 적용될 수 있습니다. 작가의 초안이 훌륭하다고 해도, 작품을 깔끔하게 다듬는 작업이 빠질 순 없습니다. 이를 위해서 작가와 편집자의 역할 분담이 이루어집니다. 하지만, 그 경계라는 것이 참 모호합니다.

• 작가가 바라보는 작품과 수정범위

• 편집자가 바라보는 작품과 포장범위

가끔씩은 서로 같은 방향을 향하지만, 상황에 따라서 반대 방향으로 치닫기도 하니까요.

작가 입장에서는 내 자식 같은 작품이라서, 애지 중지 원래 모습을 지키려고 합니다. 반면에, 편집자는 시장에서 원하는 모습으로, 필요하다면 성형을 해야 한다고 주장합니다.

누가 맞을까요?

정답은 없습니다. 꼭 편집자의 촉이 맞다고 할 수도 없습니다. 하지만 작가보다는, 책이 유통되는 시장을 모니터링하고, 어떤 책들이 팔리는지 트렌드를 잘 알고 있는 편집자에게 더 힘이 쏠리는 게 일반적이죠. 이렇게 기획의 그림이 완성되면 작품은 변화를 겪습니다.

퇴고 작업은

먼저, 농산물의 상태가 좋아야 소비자의 눈길을 끌듯이, 책도 전체적인 글의 흐름이 자연스러워야 합니다. 책을 들고 몇 문장을 읽는데 자연스럽게 읽히지 않고, 자꾸 막히는 느낌이 들면 호감을 얻기 어렵습니다. 그래서 오타나 비문 등 1차적으로 문법이 안 맞는 사항들을 정리하게 됩니다. 그나마, 이때까지는 최대한 원본의 상태를 유지하는 단계입니다.

그런데, 작가가 점검하고 편집자가 한 번 더 검수를 해도 오타 수정은 끝이 없습니다. 분명히 지난번에 꼼꼼히 봤는데, 다시 보니 또 보이는 게 오타입니다. 이것만 해도 2~3번의 퇴고 작업은 각오해야 합니다.

그리고, 말로 하는 것과 공개적인 글로 쓰는 것의 차이점 중 하나이기도 한데, 인용 문구가 있다면 어디서 인용을 했는지 명확히 해야 합니다. 출처를 밝힐 수 없다면 언급을 하지 않는 것이 원칙입니다. 즉, 예전에 어디서 들었던 기억으로 작성한 문구, 또는 카더라 통신으로부터 나온 문구는 덜어 내어야 합니다.

하지만, 작가의 가슴에 깊이 남은 한 마디, 명언 한 구절이 있어서 꼭 인용하고 싶다면, 그것이 책의 완성도를 올려 주는 것이라는 믿음이 있다면 어떻게 든 출처를 확인해야 합니다.

도서관을 다 뒤져서라도, 몇 날 몇 일을 소비하더라도 한 문장을 찾기 위해 서 끝을 봐야 합니다. 이때, 또 다른 인용 문구들이 눈에 들어올 수도 있습니 다. 이것을 반복하다 보면 다시 2~3번의 퇴고 작업을 거칩니다.

아직까지는 본문의 가독성과 완성도를 높이는 단계에 있습니다. 하지만, 본 문만 완성된다고 책이 출간될 수는 없지요.

· 이 책을 한 마디로 표현해 줄 요약 문구는?

· 독자에게 영향력을 미칠 수 있는 인지도를 가진 유명인의 추천사는?

· 작가를 한 마디로 나타낼 프로필은?

· 책을 상징하는 표지는?

필요하다면, 목차도 조정이 되어야 한다. 목차만 보더라도 그 전개가 자연스 러워야 하기 때문인데요. 편집자의 눈에 그 흐름이 자연스러워 보이지 않는 다면, 출판사에서 바로 연락이 올 겁니다.

"작가님, 소제목 중 독자가 어색하다고 느낄만한 부분이 있습니다. 다시 한 번 꼼꼼히 봐주세요".

이때, 작가와 편집자의 의견이 일치해서 빠른 수정이 이루어지면 좋겠지만, 그런 경우는 드뭅니다. 작가는 최소한으로 작업을 마무리하고 싶고, 편집자는 마치 성형외과 전문의처럼 수정에 공을 들입니다. 그래야 한 부라도 더 팔릴 것이라는 일종의 소명의식이 있습니다.

때론 작가에게 무리한 요구가 들어가기도 하죠. 그러면, 작가는 편집자로부터 넘어온 원고를 다시 썼다 지웠다를 반복합니다. 왜냐하면, 편집자의 의도는 모르는 것은 아니나, 그에 맞추기 위해서 원고를 수정할지 말지를 고민하는 시간들이 이어지기 때문입니다.

그렇게 창작에서 기획 단계를 거치면서, 작가가 탄생시킨 창작물은 작가의 손을 벗어나서 세상에 적응되어 갑니다. 초안이 과수원에서 막 수확한 단계라면, 퇴고를 거치면서 보다 윤기가 있고 먹음직스러운 과일로 변신합니다.

이렇게 밀당을 하는 시간 속에 2~3번의 퇴고 작업이 추가됩니다. 이런 일련의 작업이 끝날 때쯤, 작가는 편집자로부터 다시 연락을 받을 겁니다.

"작가님, 마지막으로 한 번 더 꼼꼼하게 살펴 주세요"

이때부터, 책의 마무리 작업을 하겠다는 의미입니다. 달리 말하면, 더 이상 사소한 내용으로 협의를 하지는 않겠다는 의사를 전달하는 것입니다. 만약, 이것을 끝으로 탈고를 한다면, 약간의 행운이 따른 겁니다.

왜 10번인가?

물론, 5번으로 퇴고를 마칠 수도 있습니다. 몇 번만에 퇴고가 끝날 것이라는 것은 솔직히 아무도 모른다는 것이 정답니다. 하지만, 위에 언급한 바와 같이 작가의 입장에서는 최소 10번의 퇴고는 각오를 하면 스트레스를 덜 받을 수 있습니다.

· 10번을 생각했는데, 5번 만에 끝나면

· 10번을 생각했는데, 8번 만에 끝나면

· 5번을 생각했는데, 5번 만에 끝나면

· 5번을 생각했는데, 10번까지 가면

위 경우 중 어떤 경우에 제일 스트레스를 받을까요? 아마도 제일 마지막 경우일 것입니다. 왜냐하면 5번을 생각했는데, 5번을 넘어가면 퇴고의 끝이 안 보이는 느낌을 받습니다. 이번에 퇴고해서 출판사에 보내더라도, 다시 퇴고

요청이 올 것이라는 지레짐작이 앞섭니다.

물론 퇴고를 계속할 수는 있습니다. 하지만, 자기가 쓴 원고를 보고 또 보는 작업이 그리 만만하지 않습니다. 설령 다시 보더라도, 이미 익숙한 문장에서 오타나 비문이 눈에 들어오지 않기 시작합니다.

사람이 포기하고 싶어지는 이유 중 하나가, 당장 힘든 것보다 그 끝이 보이지 않을 때 참기 어렵다는 말도 있듯이, 탈고를 하겠다는 의지가 점점 식어갑니다. 하지만, 이를 극복해야 작가로서의 삶에 익숙해질 수 있습니다.

최근에 어느 소설가의 신간 출간기념 북콘서트에 다녀왔습니다. 소설 주제를 잡고 나서 출간하기까지 12년이 걸렸다고 합니다. 그러는 동안에, 최소 100번 이상의 퇴고 작업을 거쳤다고 합니다.

Part 03. 글을 쓸 때 고려사항

누구와도 비교는 금물이다

- 내가 원하든 원하지 않든

사람인지라, 계속해서 주변과 비교되는 것은 어쩔 수 없긴 합니다.

스스로 남과 비교하기도 하고, 다른 이들이 나를 비교 대상에 올려놓기도 합니다.

하지만, 이런 습관이 생기는 것은 경계를 해야 합니다. 특히, 글쓰기에서 득보다 실이 많기 때문입니다. 그보다는 내면에 귀를 기울이고, 스스로 정체성을 확립해 나가는 것이 훨씬 중요하다 할 것입니다.

남과 비교하면서 나의 삶을 채찍질하는 것은 그 기준이 외부에 있습니다. 하지만, 스스로 내면을 들여다보는 과정은 절대적 기준입니다.

이것은 마치 성인이 된 후 영어 회화를 익히기 위해서, 학원에 등록하는 과정에서 느끼는 감정과 유사합니다. 나만 빼고 모두 중급 이상의 능력자로 보입니다. 발음도 어설프고, 아는 단어도 부족해서 자신 있게 말이 안 나옵니다. 원어민과 자연스럽게 대화하는 수강생과 마주치면, 일단 기가 죽어서 그나마 알고 있던 문장도 입 밖으로 잘 안 나옵니다.

내가 비교하지 말아야 할 것들

글쓰기에서 다른 이와 비교하지 말아야 할 대표적인 항목들입니다.

- 지식
- 경험
- 작품

시대가 워낙 빠르게 변하다 보니, 이전의 지식과 경험이 무용지물이 되는 경우가 흔한 일상이 되었습니다. 과거에 매몰되어 있다 보면, 새롭게 변하는 세상에 뒤처지기만 할 겁니다.

누구는 사회적 지위가 높아서 글을 쓰고, 또 다른 이는 베스트셀러 작가라서 글을 쓴다고 의식하게 되면, 나는 글을 쓸 수 없게 되어 버립니다. 그보다는 스스로에게 집중할 필요가 있습니다.

관심 가는 분야의 글감이 충분하지 않다면 지식과 경험을 만들어 나가는 노력이 필요합니다. 이렇게 쌓인 지식과 경험 자체도 소중하지만, 새롭게 축적한 자산들이 이전의 것들과 융합되면서 나만의 인사이트가 만들어지는 과정이 그 무엇보다 중요하다 할 것입니다. 이렇게 만들어진 스토리는 누구나 쉽게 흉내 낼 수 없는 나만의 이야기가 됩니다.

연륜이 깊어질수록 주의하고 경계해야 하는 것으로, 나의 잣대로 남의 작품을 평가하는 겁니다. 즉, 남의 작품을 나의 작품과 비교해 가면서 다른 작품의 가치를 함부로 재단해서는 안된다는 겁니다.

내 글이 소중하듯이, 다른 이의 글도 그 자체로 소중히 볼 줄 알아야 합니다. 책 한 권을 만들어 내기 위한 작가의 노력을 인정한다면, 함부로 비평할 수 없게 됩니다.

주위의 비교에 흔들리지 말아야 할 것들

· 판매부수

· 발생수익

· 사회적 지위

글을 계속 쓴다면, 전업이든 부업이든 이 부분을 무시할 수는 없습니다. 특히, 가까운 지인들이 따가운 시선을 보내오면, 가시방석에 앉아있는 기분입니다.

가족들이나 가까운 지인들이

"글만 써서 밥 먹고 살 수 있나?"

"책을 내면, 베스트셀러는 되어야 인정받는 거지"

이렇게 안주거리로 전락하면, '내가 지금 무얼 하고 있나' 하는 생각까지 듭니다. 하지만, 곰곰이 생각해 보면 이것은 비단 글을 쓰는 경우에만 한정되는 것이 아닙니다. 내가 좋아하고, 그래서 하고 싶어서 시작한 일이지만 아직까지 충분한 경제적 보상을 받지 못하는 경우라면, 모두 해당될 겁니다. 이런 이유로 내가 글을 쓰지 못하게 된다면, 작가의 삶은 내 인생에서 후순위에 두어야 할 겁니다.

주위의 시선이 부담스러워서 시작할 수 없는 경우라면, 지금부터라도 조금 더 경제적 여유를 만들고, 글 쓰는 것에 집중할 수 있는 환경을 먼저 갖추도록 노력해야 할 겁니다.

그런데 생각해 보면, 나를 흔드는 환경은 계속 반복될 것입니다. 이때 작가가 되려고 했던 초심, 그때 그 마음을 잡고 흔들리지 않으려 해야 할 겁니다. 작가라는 타이틀을 얻는 것도 힘들지만, 계속 유지하는 것도 쉽지 않은 게 현실입니다.

쉽게 비교할 수 없는 것들

남들과 비교하지 않고 본인의 작품 속에 들어갈 수 있으면 좋을 텐데, 그러려면 쉽게 복제하거나 흉내 낼 수 없는 것들로 나만의 성을 쌓아 나가려는 노력이 필요합니다. 예를 들어서,

· 전체 이야기를 관통하는 메시지

· 다 읽고 나서도 남아있는 여운

· 독자에 따라서 달리 해석될 수 있는 이야기

다른 한편으로 '책을 읽는 재미'를 더하기 위한 노력도 의미가 있습니다. 대표적으로,

· 책이 쓰인 배경

- 작가가 담아내고자 했던 핵심 키워드

- 독자에게 감동을 전달하는 부분

이러한 요소들을 명확히 하고, 독자들과 소통할 수 있다면 작가로서의 입지를 다지는데 도움이 될 겁니다.

결국은 글을 계속 쓴다는 목표가 최우선이 되어야 할 겁니다. 당장의 성과가 미미하더라도, 계속 나만의 스타일을 만들기 위한 시간들을 축적해야 할 겁니다. 이 외에는 모두 부수적인 이유들입니다.

남과의 비교가 아니라, 스스로 작품을 발전시키기 위한 고민의 나날들이 쌓여 가다 보면, 어느 날 성장해 있는 자신을 발견할 수 있을 겁니다.

굳이 비교해야 한다면, 어제의 나와 비교해야 할 것입니다.

한 명의 멘토나 응원자를 찾아라

- 성장은 그렇게 시작된다

아이들이 크는 모습을 보면 많은 것을 느끼고, 배웁니다. 누가 봐도 아직 철이 없는 천방지축인데, 어느 순간이 되면 이제는 알아서 할 수 있다고 합니다. 마치 처음부터 혼자서 해 온 것처럼 당당합니다.

그러면서 성장을 하겠지만, 현재 자신의 위치나 상황에 대한 객관적인 파악이 안 되는 시기입니다. 그렇게 성인이 되고, 사회생활을 시작하고 세상을 배워가면서 또 한 번의 성장을 해 나가겠지요.

학교보다 훨씬 큰 조직에 몸을 담거나, 학창 시절보다 훨씬 복잡한 시스템에 들어가면서 변화가 옵니다. 크게 보면, 이때 이후로 2가지 선택지가 계속해서 펼쳐집니다.

· 취직을 할 것인가? 내가 하고 싶은 것에 도전해 볼 것인가?

· 치열하게 경쟁할 것인가? 경쟁을 피하려 할 것인가?

· 배움을 멈추지 않을 것인가? 배운 것으로 승부를 볼 것인가?

· 내 안에 더 머물 것인가? 사회적 존재감을 키워 갈 것인가?

· 기버로 살 것인가? 기버 앤 테이크를 기준으로 삼을 것인가?

사회적 동물이다

학교라는 조직생활을 하면서 사회를 살아가는데 필요한 기본 소양을 배웁니다. 거기에는 경쟁만 있는 게 아니고, 친구들과 소통하고 협력하고 때로는 내 안으로 더 들어가기도 하면서 나만의 기준이 만들어집니다.

이때 함께 어울리는 친구끼리 많은 영향을 주고받습니다. 그리고, 내가 속한 그룹이 아닌 다른 또래 집단에 동경을 하기도 하고, 이해 못 하는 부분도 생깁니다.

사회생활을 시작하고, 결혼도 하게 되면 또 다른 관계가 형성됩니다. 이때 맺어지는 관계는 크게 2그룹입니다.

· 경제적 필요에 의해서

· 사회적 관계에 의해서

먼저, 경제 활동을 함으로써 연결되는 관계입니다. 이러 관계는 서로의 이익을 위해서 움직입니다. 어느 한쪽의 일방적 희생을 요구한다면 오랫동안 이어질 수 없는 관계이죠. 그리고, 경제적 이익이 없어지면 더 이상 이어지지 않는 관계입니다.

다음으로 가족을 비롯해서 사회적 관계로 맺어지는 경우입니다. 학연, 지연일 수도 있고, 동호회 등 사회에서 만난 네트워크도 포함됩니다.

당장 경제적 이득을 주지는 않지만, 사회의 일원으로 살아간다는 나름의 소속감을 줍니다. 이런 유대관계에서 파생되어, 생각지도 못한 인생의 기회가 찾아오기도 합니다.

내가 하고 싶은 것이 있다면

지금 내가 하는 경제적 활동과는 별개로 하고 싶은 것이 있다면, 위에서 언급한 사회적 관계에서 그 기회를 발견할 가능성이 높습니다.

예를 들어서 내가 하고 싶은 것을 같이 생각할 수 있는 사람들의 모임에 나가거나, 같은 생각을 하는 사람들이 모이는 온라인 카페나 커뮤니티에서 활동을 할 수도 있습니다.

혼자만의 생각에 머물지 않고, 이런 활동을 함으로써 시행착오를 줄여 나갈 수 있습니다. 이는 마치 인간이 청소년기를 지나오는 것과 유사하다고 할 것입니다.

아직 아마추어라서 여러가지로 부족하고 시행착오를 거치지만, 꼭 거쳐야 하는 과정입니다.

그리고, 내가 생각하는 부분을 검증받는 기회로도 활용할 수 있습니다. 맞고,

틀리다의 관점이 아니라 어떤 부분에서 더 호응이 있는지를 체감할 수 있게 됩니다.

이런 성장의 시간이 나의 계획에 들어와 있어야 합니다. 그렇지 않고, 빨리 정상에 오르고 싶은 마음에 한 걸음에 달려간다고 좋은 결과를 기대하기는 어렵습니다.

나의 생각들을 채우고, 주변과 소통하면서 다시 비워나가고, 이를 통하여 성장하는 시간을 갖는 것을 반복하다 보면 어느새 훌쩍 성장해 있는 본인을 발견하게 될 것입니다.

가고자 하는 목적지.

이것을 항상 생각하면서, 그 방향성에 벗어나고 있는 건 아닌지 스스로 점검하는 시간을 꼭 가져야 합니다. 이것은 누가 대신해 줄 수 있는 것이 아닙니다. 또한, 방향성은 속도와 바꿀 수 있는 의미를 가지고 있기 때문입니다.

글쓰기가 최종 목표라면

글을 쓰는 것을 직업으로 삼고 살아가는 사람은 생각보다 많지 않습니다. 마치 연예인 지망생은 많지만, 이를 직업으로 유지하는 것은 쉽지 않은 것과 닮아 있는데요.

글을 쓰다 보면 혼자만의 시간을 많이 가지게 되고, 그러다 보면 나만의 생각에 빠져들기 쉽습니다. 이를 방지하기 위해서 사회적 관계를 유지하기 위한 노력이 필요한데요.

이때 맺어지는 관계는 경제적 이득보다는 서로의 관심사가 우선되어야 합니다. 왜냐하면, 작가가 주변의 지인들로부터 경제적 이득을 기대하기는 어려우니까요.

그보다는

· 방향성에 관해서 얘기할 수 있는 사람

· 목적지를 얘기해도 들어줄 수 있는 사람

· 그리고 그 과정을 함께 할 수 있는 사람

이런 사람들과 관계가 중요합니다. 설령 느슨한 관계로 연결되어 있다고 할지라도, 이런 커뮤니티 또는 상대방이 있다면 나의 든든한 버팀목이 되어 줄 겁니다.

특히 초기 단계라면 아직 인지도가 없거나, 찐 팬이 없을 시기입니다. 이때 필요한 사람은,

· 나의 롤 모델이 되어 줄 멘토

· 나를 응원해 주는 단 한 사람

입니다.

굳이 우선순위를 따지자면 멘토를 먼저 찾아야 합니다. 주변에서 만날 기회가 없다면, 책을 통해서라도 다양한 멘토들을 찾아보고, 나와 결이 맞는 누군가를 발견하면 적극적으로 만나기 위한 노력을 해야 합니다.

멘토가 중요한 이유는,

· 나의 부족한 점을 쉽게 파악

· 내가 가는 방향에 대한 입체적 조언

을 해 줄 수 있기 때문입니다. 고수들은 핵심에 집중하는 방법을 알고 있습니다. 그것을 어디서 배웠든, 시행착오를 통해서 알게 되었든 이미 몸에 체화되어 있습니다.

다음으로 응원을 해 줄 사람인데요. 이 또한 중요한데,

· 계속 나아갈 수 있는 힘

· 하고자 하는 일을 계속할 수 있게 지원

한다는 측면에서 결코 적지 않은 영향력을 미칩니다. 온 가족이 나의 응원군이 되어 준다면 더할 나위 없을 겁니다. 아니라면, 커뮤니티에서 마음이 통하는 누군가를 알게 되어서, 서로를 응원할 수도 있을 겁니다.

내가 하고 싶은 일에서 멘토 한 사람과 응원해 줄 한 사람을 얻어서, 혼자가 아니라 3명이라는 생각이 든다면 원하는 목적지까지 가는 길이 결코 외롭지 않을 겁니다.

이를 통해서 성장이 이루어진다면, 어느 순간 나의 찐 팬들이 늘어나고 있을 겁니다.

어느 순간, 나도 누군가의 멘토가 되어줄 수 있을겁니다.

독자가 원하는 글을 써보자

- 내가 원하는 글쓰기

예전 직장에서 현장근무를 10여 년 한 후에, 사무실로 보직이 변경되었습니다. 신입사원 기술교육을 위하여, 기존교재를 업데이트해서 제작하고, 현장실습은 어떻게 진행할지 계획을 세운 후 내부 승인을 받기 위하여 결재를 올렸습니다.

그때 팀장님께서 문서를 보시고 하시는 가이드라인을 주셨습니다.

"선무님께서 이런 표현은 안 좋아해"

"이 문장은 이렇게 표현하는 게 좋겠다"

팀장님의 표정이 말하고 있었습니다. '현장에만 있어서 이런 개념이 없지. 잘 들어놔~' 라고 말씀하시는 듯 했습니다.

그 당시 사무실에 정착하는 시기에 겪었던, 현장과는 다른 여러가지 문화와 분위기를 익히는 시간들이었습니다.

처음에는 어떤 안건이 있으면, 육하원칙에 따라서 작성하는 것이 보고서의 기본이라는 생각으로 접근했습니다.

상사의 기호와 마음을 읽어야 비로소 보고서가 살아남을 수 있다면, 보고서를 작성하기 이전에 상사에 대한 이해가 우선이 되어야 했습니다. 지금은 사무실 분위기가 예전과 다르겠지만, 그때는 그랬습니다.

현장에서 넘어 온 저만 모르는 불문율이 있었던 거지요.

작가가 되고 나서

글을 쓰고 책을 낼 때도, 큰 맥락은 비슷합니다.

독자층은 어떻게 되는지, 주요 타깃은 어떻게 공략할지 전혀 고민 없이 만든 책은 십중팔구 소리 소문 없이 사라집니다. 초보작가는 인정하고 싶지 않은 현실일 수도 있습니다.

물론 어떤 카테고리인가에 따라서 차이는 있을 것입니다. 하지만, 일부 서적을 제외한 대부분의 분야에서 이런 현상이 발생합니다. 그것이 지금의 출판시장입니다. 이미 팬덤을 확보한 소수의 작가들은 예외입니다.

그렇다고 작가의 생각과 감정을 배제하고, 로봇처럼 글을 쓸 수도 없는 노릇입니다. 그래서 작가는 경계를 넘나 들면서 줄타기를 하게 됩니다. 본인의 글을 어필하고 싶다가, 한편으로 독자를 의식하는 자기 검열을 할 수밖에 없는 것입니다.

가장 이상적인 조합은 작가의 사상과 경험을 고객의 언어로 표현하는 것입니다.

그런데, 이것도 초보 작가에게는 만만한 작업이 아닙니다. 어느 정도 경험이 뒤따라야 몸에 체화가 됩니다. 이러기 위해서, 현재 시장상황과 시대 흐름도 읽어야 합니다.

시간이 지날수록, 나만의 글쓰기 전략이 있어야 합니다.

나의 전략은?

1. 초안을 작성한다

순수하게 작가의 의도를 담아서, 작가의 언어로 표현을 합니다. 작가의 생각과 경험을 고스란히 담는 것에 집중하는 시기입니다. 물론, 이 때도 시대흐름을 반영해서 작성할 수도 있습니다. 하지만, 크게 개의치 않고 글을 써 내려 갑니다. 누구에게 보여주기 위한 것이 아니므로, 철저하게 주관적 관점에서 접근하는 시기이도 합니다.

2. 목차를 수정한다

초고를 완성하게 되면 전체 흐름이 눈에 들어옵니다. 그래서, 목차를 중심으로 이야기의 구조를 다시 잡아볼 수 있습니다. 목차에 따라서 작성한 내용의 위치가 변경되거나 삭제되기도 합니다. 담는 것만큼이나 덜어낼 줄도 알아야 하는 이유입니다. 목차 수정도 한 번이 아니라, 여러 번 시도를 하는 것을 당연히 받아들일 수 있어야 합니다.

3. 원고를 수정한다

이때부터는 독자의 입장을 배려하기 시작합니다. 이 글을 읽는 독자층을 20대, 30대를 타깃으로 했다면, 그들의 언어로 표현하려 해 봅니다. 그러려면, 평소에 20대, 30대가 써 놓은 글을 읽는 마음의 여유가 있어야 합니다. 하지만, 평소의 그들의 언어에 익숙하지 않다면, 내 책의 잠정 독자로 생각하기 어렵습니다.

4. 퇴고 작업을 진행한다

맞춤법, 비문, 불필요한 단락 배경, 출처 밝히기 등 독자가 편하게 읽을 수 있도록 편집 작업을 합니다. 만약, 출판사에 맡긴다면 출판사의 편집자가 역할을 해 줄 것입니다. 하지만, 편집자의 도움 없이 온라인으로 등록하고 싶다면 작가가 편집자의 역할까지 진행해야 하는 단계입니다.

인기 있는 작가가 되려면?

영화배우나 드라마 작가도 작품에 들어가기 전에, 주인공의 입장이 되어 보기 위해서 여러 가지 체험을 한다는 인터뷰를 본 것이 생각납니다. 책을 쓰는 작가의 입장도 크게 다르지 않을 것입니다. 작가가 극 중 인물의 심리와 동일할 수록, 독자는 글을 공감하게 될 것입니다.

하지만, 이게 보통 작업이 아닙니다. 다른 세대, 노는 나른 입상의 누군가가 되어 본다는 것이 말처럼 쉬운 게 아니니까요.

이래서,

'베스트셀러 작가는 아무나 되는게 아니구나' 하는 생각을 갖게 합니다.

내용이 중요하다고?

– 제목에서 목차를 보고 싶도록 해야 한다

왜 제목인가?

"제목보다 내용이 중요하다. 그래서 제목도 중요하다"

위 문장을 보고 어떤 생각이 들었나요? 혹시 말장난처럼 느껴졌나요?

처음 책을 낼 때는 제목이나 목차에 크게 신경을 쓰지 않았습니다. 제목은 내용을 잘 나타내는 정도로만 접근을 했습니다. 이에 대한 조언을 구하거나, 다른 사례를 수집할 생각도 못했었습니다.

그런데, 책이 많이 팔리지 않으니 다시 한번 생각을 해 보게 되었습니다.

"무엇이 문제였지?"

책 내용이 식상한가?

타겟층이 없는 걸까?

유통 경로가 잘못되었나?

결론적으로, 위 항목들은 큰 문제가 아니라는 결론을 내렸습니다.

책을 쓰기 위해서 그동안 공을 들였고, 인지도 있는 출판사를 통해서 대형 서점에 유통이 되었습니다. 이걸로 충분할 줄 알았습니다.

하지만 한 가지 놓친 점이 있었습니다. 먼저 독자가 나의 책의 존재를 알고, 관심을 가지도록 해야 한다는 것이었습니다.

책 내용은 그 다음이었습니다.

"독자가 내 책을 선택하지 않으면, 책 내용으로 승부할 기회는 없다"

그래서 책이 독자에게 전달되는 과정을, 더 자세히 들여다 보게 되었습니다.

개인적으로는 자기 계발을 중심 주제로 삼고, 책을 여러 권 낼 계획이었습니다. 이후에는 주변 주제로 확장해 나가려 했습니다. 하지만, 검색어로 '자기 계발'을 입력해보면 상위에 노출되는 단어가 아니었습니다.

그렇다고, 세상 모든 사람들이 자기 계발에 관심이 없다는 의미는 아니었습니다. 즉, 시장성은 있지만 외부로 노출되지 않는 시장이라면, 독자들이 모여 있는 곳으로 찾아 가서 홍보를 해야 한다는 의미였습니다.

좋은 상품이라고 모든 사람들이 찾는 상품은 아니라는 사실을 인지해야 합니다. 지금도 수많은 중소기업의 아이디어 상품들이 묻히고 사라지는 게 현실입니다.

현타가 밀려 왔습니다. 마침 유명 강사의 일상과 과거에 대한 영상들이 눈에 띄어서 시청하게 되었습니다. 말을 잘하고 공감을 이끌어 내는 강사조차, 강의 내용만으로 찐 팬을 만드는 것이 아니었습니다. 보이지 않는 곳에서도 꾸준히 활동을 하고, SNS채널에서도 열심히 소통을 해 왔습니다.

한 발 떨어져서 보니, 백조의 진실이 보였습니다. 무대 위에서 당당하고 자신감 넘치는 유명 강사가, 그 자리에 서기까지 얼마나 치열하게 살아왔는 지를 간과했있습니다.

유명 작가, 스타 배우들도 본인의 작품에 엄청난 공을 들입니다.

제목을 지을 때 고려해 볼만한 것들

그렇다면, 어떻게 제목을 지어야 할까요?

1. '단일 검색어'가 아니라 '다단 검색어'로 구조화한다.

예를 들어서, 지금 핫한 주제가 '퇴직'이라면, 자기 계발도 '퇴직+자기계발'로 제목을 만들어 보는 것입니다. 이렇게 하면 잠재 독자층에서 '퇴직'이라고 검색했을 때, 노출될 가능성을 높일 수 있습니다.

2. 문장형 또는 행동형 제목을 짓는다.

'야, 너도 할 수 있어'라는 광고문구를 예로 들 수 있습니다. 최근에 본 재밌는 책 제목으로 '센스를 배웠더니 일머리가 돌아갑니다'가 있었습니다.

행동을 유발함으로써, 동기부여가 되고 호기심이 생기도록 유도하는 공통점이 있는 제목들입니다.

3. 마지막으로 권위이다.

이건 드러내놓고 홍보하기보다는, 간접적인 홍보문구로 적합합니다. 그리고, 책 출간 시점이 아니라 그 이전에 준비가 필요합니다. 독자가 이 책을 왜 봐야 하는지, 권위를 내 세워서 얘기할 수 있어야 합니다.

이는 단지, 가방끈이 길거나 직함이 있다는 것만을 의미하는 것이 아니라, 그 분야에서 성공한 사람이다 라는 것을 보여주는 것이 더 중요합니다. 이미 많은 사람들이 알고 있는 작가만의 스토리가 있어야 가능합니다.

위에 언급한 현상은, 특히 재테크 서적에서 두드러진 현상입니다.

예를 들어서,

"제발 주식투자에 시간 좀 그만 버리세요"

"월 5,000만 원 비법 모두 공개합니다"

최근에 '슈퍼노멀'이라는 책이 발간되었습니다. 당신이라면 이 책의 제목만 보고, 책을 사고 싶은 생각이 들겠습니까?

하지만, 지은이가 구. 신사임당으로 백억 대 자수성가한 사람이라면?

최근에 나온 도서 중 '다 이유가 있다'라는 책도 있습니다. 제목만 봐서는 진부하다는 생각이 들 수도 있습니다.

하지만, 저자가 서울대 출신의 박사이고, 베스트셀러 작가라면 이야기가 달라집니다.

출처 : yes24.com

시대흐름

물론 요즘 유행이라고 해서, 남들의 제목을 카피할 생각만 하는 것은 문제일 것입니다. 하지만, 작가가 시대의 흐름을 역행하기 힘든 것 또한 사실입니다. 이것은 유명 작가도 피해 가기 어려운 현실입니다.

자기만족을 위해서 책을 출간하는 것이 아니라면, 책 제목에 관해서는 열린 마음으로 접근할 필요가 있습니다. 출간한 나의 책이 출판사 창고에만 재워 두기를 바라는 작가는 없을 것입니다.

> 독자층이 누구인지,
>
> 그들이 선호하는 표현방식은 무엇인지
>
> 그러면서 책의 내용을 잘 담고 있는지

원고를 쓰기 시작한 순간부터 탈고할 때까지 고민을 하게 만드는 것이 책의 제목입니다. 왜냐하면 독자는 제목에서 흥미를 느끼면 목차를 확인하고, 여기에서 공감 가는 목차의 내용을 찾아보기 때문입니다. 권위를 내 세우지 못하는 대부분의 책이 선택되는 과정입니다.

홍보 전쟁 속에서 살아남아야 한다

- 출간 후 보이지 않는 상대와 경쟁해야 한다

최근에 우리나라에서 틱톡의 사용자가 40대에서 늘어나고 있다는 기사가 있었습니다. 약 20%에 가까운, 무시할 수 없는 수준의 수치를 보였습니다.

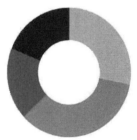

TikTok Users By Age

■ Under 18 　■ 19 - 29 　■ 30 - 39 　■ 39+

년	%
18세 미만	28%
19 - 29	35%
30 - 39	18%
39+	19%

출처 : tridens technology

짧은 동영상에서는 틱톡이 최상위에 위치해 있습니다. 뒤를 이어서 인스타의 릴스와 유튜브의 숏츠가 쫓아가는 형국입니다. 정작 작가로서 글을 쓰는 것에 집중하다 보면, SNS업계의 이런 트렌드를 놓치기 쉽습니다.

앞으로 작가로서 살아 가고자 한다면 더 이상 SNS은 피할 수 없는 현실입니다. 독자와의 소통 창구이자 홍보 채널로써 이보다 더 훌륭한 도구는 없습니다.

책은 어떻게 홍보되나?

온라인 서점에서 출간 전 홍보되고 있는 예약판매 도서들

출처: kyobobook.co.kr

먼저, 전통적인 홍보 방식이 있습니다.

· 예약판매

· 서평단 모집

· 사전에 지정된 홍보 채널 활용

  예) 출판사 또는 서점 홍보 채널, 언론사를 통한 홍보 등

그런데, 사회 문화적 변화로 인하여 사람들이 더 이상 전통적인 채널에 집중하지 않습니다. 방송국, 신문사, 잡지 등 오랜 역사와 전통을 자랑하는 언론은 예전 같은 국민의 관심을 받지 못하고 있고, 이런 트렌드는 지속될 것으로 예상됩니다.

게다가, 지금은 서점에 가는 인구자체가 현저히 줄어들었습니다. 대형 서점에 가더라도 책들만 즐비할 뿐, 사람들이 많아서 불편하지는 않습니다.

이미 인지도를 가지고, 많은 이들이 구독하는 개인화된 채널이 많습니다. 대표적으로,

· 유튜브

· 블로그

· 인스타

· 페이스북

등이 있습니다.

덧붙여, 출간된 책을 개인 홈페이지를 통해서 직접 판매할 수도 있으며, 유튜브에 스토어를 만들어서 홍보하기도 합니다. 네이버 엑스퍼트이거나 브

런치 작가로 활동 중이라면, 이를 책 유통 채널로 활용하기도 합니다.

홍보 채널의 변화만큼이나 방식도 예전과는 다르게 전개되고 있습니다. 이제는 예비 독자를 타깃팅 해서 찾아 나서는 시대입니다. 무수히 쏟아지는 정보의 홍수 속에서 이 책을 왜 읽어야 하는지를 짧은 시간 안에 보여줄 수 있어야 합니다. 일단 눈길을 끌지 못하면, 관심을 받을 기회조차 얻지 못하는 운명이 될 수도 있습니다.

또한, 이제는 종이책의 예약판매나 전자책의 사전 알림이 당연시되는 흐름입니다. 그만큼 책이 나온 후의 홍보는 이미 늦다고 판단하는 것입니다. 한 발 더 나아가서, 아직 출간이 예정되어 있지도 않은 작가의 팬들에게는, 해당 작가의 신간이 나오는 경우에 알림을 받을 수 있는 서비스를 신청하도록 유도하기도 합니다.

시대 흐름을 읽기 힘들다면?

평소에 SNS을 즐겨하지 않을 수도 있습니다. 하지만, 그게 SNS에 신간을 홍보하지 않는 이유가 되어서는 안 될 겁니다. 그만큼 SNS는 엄청난 트래픽을 발생시키고 있고, 앞으로도 그러할 것입니다.

온라인상의 홍보는 크게 2가지로 구분됩니다.

· 무료

· 유료

무료로 하는 대표적인 경우가 평소에 본인이 자주 이용하던 SNS, 예를 들어서 네이버 블로그나 카페를 이용하는 경우를 들 수 있습니다. 또는 유튜브나 인스타그램을 적극적으로 활용하고 있었다면, 이런 채널을 통하여 홍보를 할 수도 있습니다.

이제까지는 관심이 없었다고 하더라도, 본인이 학습을 해서 진행할 수 있습니다. SNS의 현재 트렌드는 둘째로 치고, 신간 홍보가 어떻게 이루어지는가에 초점을 맞추어서 빠르게 익혀 둘 필요가 있습니다.

직접 홍보하기 위해서는 각 채널의 기본적인 홍보 프로세스를 알고 있어야 합니다. 하지만 실제 진행하다 보면, 지속적으로 진화하는 각 채널의 정책들을 개인이 일일이 파악하고 있는 게 쉽지 않다는 것을 느끼게 됩니다. 왜냐하면, 광고만 하더라도 하나의 시나리오만 가지고 처음부터 끝까지 광고하는 것이 아니라, 대중의 반응을 살피고 효과성을 고려해서 중간에 변화를 줄 필요가 있기 때문입니다.

그래서, 홍보 전문가가 따로 활동합니다. 이들은 왜 유료로 홍보 전문가를 통하여 진행해야 하는지 끊임없이 알립니다. 이것은 크게 2가지 방식으로 나눌 수 있습니다.

· 전자책 온라인 플랫폼을 통한 광고 대행

· 외부 전문가를 찾아서 홍보 대행을 위탁

여기에 추가해서,

· 위 방식을 개인이 익혀서 진행

할 수도 있습니다.

어떻게 진행하는가에 따라서 장단점이 있습니다. 먼저 전자책을 등록하는 온라인 플랫폼에서 출간을 하는 동시에 홍보까지 위탁하는 경우입니다. 각 플랫폼마다 최소 금액이 정해져 있습니다. 온라인 플랫폼에서 판단했을 때, 이 정도의 금액은 투입해야 소기의 목적을 달성할 수 있다고 나름대로 정해 놓은 기준입니다. 최소 기백만 원의 비용이 발생합니다.

이와 달리, 작가가 직접 외주전문가를 찾아서 진행하는 방법이 있습니다. 이렇게 진행하면 전체 예산은 보다 탄력적으로 적용할 수 있습니다. 하지만, 소요 예산은 누구에게 맡기는 것으로 결정 나는 것이 아니라 어디에 얼마의 예산을 투입하는지에 따라서 정해지는 편입니다.

예를 들어서,

· 몇 가지의 홍보물을 작성할 것인가?

· 어디에 홍보를 할 것인가?

· 홍보기간은 얼마동안 할 것인가?

그래서 작가가 온라인 홍보의 기본 지식을 가지고, 외부 전문가와 협의에 나설 수 있어야 합니다.

작가가 아무 것도 모른 상태에서 무작정 모든 SNS 채널에 매일 홍보를 요구한다면, 광고비는 책 판매를 압도하게 될 것입니다. 앞으로는 남고 뒤로는 밑지는 장사라고 할 겁니다. 또한, 홍보 기간도 고려 대상입니다. 무작정 예산 절감에 초점을 맞추다 보면, 홍보하는 흉내만 내고 끝날 수 있다는 것도 무시할 수 없습니다.

이외에 크몽이나 숨고에서 개인으로 활동하는 이들에게 맡길 수도 있습니다. 가격비교와 질문을 통해서 가성비를 따져 보고 판단할 수 있습니다. 작가가 홍보에 대한 이해도가 높고, 손품을 많이 팔 수록 더 좋은 조건으로 맡길 가능성이 높아집니다.

위에 언급한 어떤 경우이든, 작가의 시간과 예산 투입을 요구합니다. 다만, 그 비중이 다를 뿐입니다. 그래서 작가에게 온라인 홍보는 점점 상식의 영역이 되어가고 있습니다.

신간 서적의 경쟁자는?

이제 더 이상 신간 서적의 경쟁자는 같은 카테고리의 다른 책들만 있는 것이 아닙니다. 온라인 홍보 시장에 뛰어든 이상, 1초가 멀다 하고 쏟아져 나오는 다른 모든 상품과 기사들에 밀려나지 않기 위한 노력을 해야 합니다.

한 마디로 잠재 독자들이 관심을 가지는 이 세상 모든 주제와 경쟁하는 모양새입니다. 출판업의 매출이 예전만 못한 이유 중 하나로도, 홍보의 어려움이 꼽히는 이유입니다. 찐 팬이라면 온라인 출판사에 들어와서 신간 도서 위주로 검색하지만, 그보다는 다른 채널을 통하여 유입되는 잠정 독자가 훨씬 많습니다. 그만큼 홍보를 다각화해야 한다는 의미이기도 합니다.

이런 어려움이 반복되다 보니, 출판사들도 팔릴만한 책에만 집중하게 됩니다. 즉, 이미 유명 작가이거나, 제목이 관심을 끌 수 있다고 판단되는 경우로 제한하려 합니다. 그만큼 무명작가의 신간 또는 독자의 흥미를 이끌어 내지 못하는 제목은 전통 출판시장에서 설 자리가 없어지고 있습니다.

작가 또한 책이 나오고 나서 자신을 알리는 것이 아니라, 그 이전에 자신의 퍼스널 브랜딩이 진행되어 있어야 판매에 긍정적 영향을 미칠 수 있는 게 현실입니다. 책의 홍보를 위해서, 인플루언서의 채널에 작가가 등장하는 것을 종종 볼 수 있습니다. 구독자수가 많은 유튜브 채널에는 작가가 비용을 지불하고 출연하기도 합니다.

한편으로, 작가의 경쟁자로 SNS의 인플루언서를 포함해야 할 것입니다. 잠재 독자들이 그들에게 시선을 빼앗기는 만큼, 작가가 관심을 받을 기회는 사라질 것이기 때문입니다..

앞으로는?

새로운 SNS채널이 등장하고 트렌드를 변화시켰듯이, 계속해서 또 다른 변화의 바람이 불 것입니다. 아마도 다음에는 AI를 중심으로 한 온라인 생태계 변화가 일어날 것입니다.

예를 들어서, 관심 있는 주제의 책들을 찾아 달라고 AI에게 요청하는 것이 당연한 시대가 올 수도 있습니다. 그리고, 공유와 구독 서비스가 더 활성화되어서 어느 장소에서나 디지털 기기에 손쉽게 접근할 수 있을 겁니다. 예를 들어서 온라인으로 공공도서관의 전자책을 대여하고, 인근 카페에 설치된 기기에 접속해서 커피를 한 잔 즐기는 시간 동안 책을 읽을 수 있는 날이 곧 다가올지 모릅니다.

아직 오지 않은 미래를 지금 준비하는 것은 누구에게나 어렵습니다. 다만, 눈앞에 변해가는 추이들을 관찰하면서 출판업의 생태계가 어떻게 바뀌어가는지는 파악을 하고 있어야 할 것입니다.

Part 04. 출간 프로세스를 이해하자

어디서 책을 낼 것인가?

– 방향성을 가지고 접근해야 한다

살아가면서 항상 무언가를 결정해야 합니다. 그런데, 그런 **결정에는 크게 2 가지로 나뉘어 집니다.**

· 결정 그 이후를 예상해 볼 수 있는 결정

· 결정 그 너머는 아직 상상할 수 없는 경우

오늘 점심에 무엇을 먹을지, 어떤 옷을 입을지 와 같은 고민은 평상시에 큰 스트레스를 주지 않습니다. 하지만, 이에 달리 상황에 따라서 많은 고민과 준비를 필요로 하는 경우도 있습니다.

· 상견례 자리에 어울리는 식당을 원하는 시간에 예약하기

· 처음 참석하는 큰 행사에서 무대 위에 올라가야 하는 경우

예정된 계획도 신경이 쓰이지만, 처음 보는 사람과 낯선 공간은 일반적으로 더 많은 스트레스를 안겨줍니다. 왜냐하면 다음 상황이 쉽게 예측되지 않기 때문입니다.

책을 내는 과정은?

TO-DO LIST

Today Tasks

- 주제 정하기
- 목차 구성하기
- 원고 쓰기
- 원고 기획안 작성
- 출판 플랫폼 정하기
- 표지 디자인
- 상세페이지
- 저자 소개
- 홍보 문구
- 추가 선물
- 프로젝트 일정
- 다른 플랫폼 등재 여부

전자책 출간 점검 포인트

이는 책을 내는 과정에도 찾아 옵니다. 즉, 낯선 프로세스를 만나서 스트레스 지수가 높아지는 과정을 거칩니다.

'나도 책을 한 권 낼 거야' 하고 호기롭게 시작했다가 마무리하지 못하는 사람들이 꽤 많습니다. 주변에 아는 작가가 없다면, 좋은 결과를 홍보하는 소식만 접하고 도전하는 경우도 있습니다.

"어떤 작가는 이번에 책을 냈는데, 그 책의 인세만 억대 수입이래~"

"어떤 작가는 책을 내고 강의 요청이 많아서, 몇 달치 예약이 끝났대"

그 결과에 도달하기 위해서 겪었을 무수한 시행착오는 고려사항이 아닙니다. 그래서 내가 어떤 노력을 더 해야 하는지, 어떤 결과를 가져올 수 있는지 아무것도 정해진 게 없습니다. 이렇다 보니 다음 단계에 대한 확신으로 진행을 하기 보다는, 시작했으니까 진행하는 경우가 대부분입니다.

이건 비단 책을 출간할 때 뿐만 아니라, 우리네 인생살이가 대부분 이런 과정을 거칩니다. 지금 하는 행동으로 어떤 결과를 기대하는 경우도 있지만, 대부분은 계획하지 않은 경우의 변수와 맞닥뜨립니다.

사람이 하는 일이다 보니, 살아가면서 이런 경험들을 하게 됩니다.

· 중간에 어떤 깨달음이 와서 실력이 일취월장 할 수도 있고

· 예기치 않은 사건, 사고에 휘말릴 수도 있으며

· 갑작스러운 주변 환경의 변화로 하고 있는 일에 집중하기 어려운 경우도 있고

· 예상했던 결과보다 더 큰 성과로 보상받을 수도 있다

또한, 책을 내는 과정에서도 여러 가지 변수들이 자리하고 있습니다.

· 원고

· 제목

· 표지

· 저자 인지도

· 홍보 문구

· 출간 시기

잘 지은 제목 하나, 표지 하나가 사람들의 관심을 받을 수도 있습니다. 하지

만 많은 작가들이 이야기합니다. 작가가 애정을 느끼는 글과 독자들이 선호하는 글은 다른 경우가 많다고.

인지도가 높은 저자라면 이미 팬들을 확보하고 있기에 최소 판매량을 예측할 수도 있습니다. 그런데, 여기에 덧붙여 한 가지 더 고민해봐야 할 것이 있습니다.

그래서, 내 책은 어디에?

대표적 온/오프라인 서적 유통 플랫폼

출처: 해당 사이트 홈페이지

책을 어디에서 출간할지는 생각보다 중요합니다. 물론, 무명작가의 첫 책 도전은 선택권이 그리 넓지 않을 수 있습니다. 작가가 모든 것을 파악해서 진행하기 보다는, 주변의 추천 또는 지인이 과정을 답습하는 경우가 많습니다. 어쨌든 지금은 온라인이나 독립출판사를 통한 도전이 가능하기에 보다 폭넓은 선택이 가능합니다.

온라인 출판 및 유통시장의 성장은 각 세대에게 다르게 다가갑니다. 50,60세대에게 책을 낸 작가라는 타이틀은 남다른 의미로 각인됩니다. 내 주변에 평범한 이웃이라고 생각했던 사람이 책을 내고 글을 쓰고 있다 하면, 보는 눈이 달라집니다. 그 책이 전자책이라고 해도 동일한 반응을 보입니다.

하지만, 20,30세대에게 책을 낸다는 것은 그리 특별하지 않을 수 있습니다. 일단 IT기기를 다루는 것에 부담이 없는 세대이다 보니, 마음만 먹는다면 AI와 각종 인터넷 사이트에서 제공하는 자료의 도움으로 원고를 작성할 수 있고, 온라인 플랫폼의 요구사항도 어렵지 않게 익힙니다.

모든 세대에서, 내 책을 출간하기 위해서 필요한 자료를 일목요연하게 정리해서 알려주기를 갈망하지만, 그런 자료가 있는 곳을 찾을 수는 없습니다. 모든 것을 정리해서 분류하기에는, 각 플랫폼의 이해관계가 다르고, 또한 작가의 배경에 따른 옵션이 너무 다양합니다.

그래서, 어떤 플랫폼에 책을 등록할 지를 선택하기 위해서는 먼저 작가가 작품에 대한 명확한 기준을 가지고 있는지 점검해 보아야 합니다. 이것은 작가의 처한 상황마다 다르고, 책의 종류에 따라서 다른 해법이 제시될 수도 있습니다.

먼저 책 주제가 정해지면, 내 책을 기준을 잡아야 합니다. 대략 아래 항목들로 기준을 잡아보면, 몇 가지 옵션으로 압축될 수 있습니다.

· 책을 내는 목적

· 예상 독자층의 선호도

· 책 출간의 용이성

· 출간 책의 완성도

· 내 주제를 다루는 출판사

– 책을 내는 목적

 : 책을 내는 목적이 단순히 작가라는 타이틀이라면, 여기에 집중해서 진행하는 것이 효율적입니다. 강의를 해야 하는 경우, 또는 홍보 목적으로 책을

선택하는 경우도 있습니다. 이런 경우라면, 종이책으로 책을 한 권 내는 것이 유리합니다. 새로운 사람들을 만날 때, 책을 한 권 나눠주면서 작가를 홍보할 수도 있습니다.

- 예상 독자층의 선호도

: 내가 타깃으로 생각하는 독자층이 주로 활동하는 무대를 알아야 합니다. 그곳이 서점인지, 전자상거래 플랫폼인지에 따라서 나의 판매 채널도 달라져야 합니다. 공식적인 구분은 아니지만, 각 플랫폼마다 주 고객에 차이가 있습니다.

- 책 출간의 용이성

: 인지도가 높은 출판사일수록, 나름의 기준이 있고 작가에게 완성도높은 작품을 요구합니다. 돈을 주고 책을 구매하는 독자의 입장에서 생각한다면, 당연한 이야기일 것입니다. 내 돈을 주고 책을 사면서, 무명 작가의 그저 그렇고 그런 책을 선뜻 구매하지는 않을 겁니다.

하지만, 누군가는 작가가 이야기하는 내용의 핵심 정보만 있어도 좋다고 하는 사람이 있을 수 있습니다. 이런 경우에는 재능마켓을 목표로 원고 작업을 할 수도 있습니다.

위 조건만 따져도, 크몽과 같은 재능마켓에 전자책을 올릴지, 아니면 출판사에 등록할지 판단을 할 수 있습니다.

– 출간 책의 완성도

: 고기도 먹어 본 사람이 잘 먹는다고 인지도가 높은 출판사들은 어떻게 책의 품질을 높일 수 있는지 이미 알고 있습니다. 또한 경험이 풍부한 디자이너, 편집자 등 각 분야의 전문가들이 상주하여 출간 작업을 진행하므로, 이미 모든 것이 프로세스로 움직인다.

이에 비해서, 일부 영세업체 또는 온라인 플랫폼의 경우 원고는 작가가 책임지고 마무리해야 하는 경우가 대부분입니다. 이런 생태계를 알고 접근하면, 어떤 플랫폼을 선택해야 할지 구분하기 쉬워집니다.

– 내 주제를 다루는 출판사

: 종이책을 주로 출간하는 출판사는 주로 밀고 있는 분야가 있습니다. 작가가 생각하는 주제가 그 출판사의 카테고리가 잘 맞다면, 내 원고를 채택할 가능성이 높아집니다. 온라인 플랫폼의 경우에도, 특별히 인기있는 주제가 있고, 어떤 분야는 아예 채택하지 않는 경우가 있습니다. 이것을 모르고 엉뚱한 곳에서 책을 출간하려 한다면, 시간과 에너지 낭비만 하고 있을 가능성이 높습니다.

그래서, 어디에서 책을 낼 지도 미리 조사가 되어 있으면, 원고 작업 이후에 일사천리로 책을 출간할 수 있습니다.

종이책과 전자책

원고 작성 단계에서 사실 이 부분은 큰 고민거리가 아닙니다. 기존 출판사에서 종이책을 내는 경우에도 전자책까지 같이 내는지 확인을 해 볼 수 있습니다. 또한, 전자책으로 먼저 온라인 플랫폼에서 출간하고 , 나중에 종이책으로 출간할 수도 있습니다. 추가하여, 소량으로만 종이책 제작을 하는 겄도 얼마든지 가능한 세상입니다.

다만 계약적 이슈가 발생하지 않도록, 전자책을 출간하면서 출판사와 합의해 두는 것이 필요합니다. 종이책 또는 전자책만 출간하고, 나중에 다른 플랫폼으로 갈아타려고 할 때 기존 계약이 발목을 잡을 수도 있기 때문입니다.

초고를 담아 둘 공간이 필요하다

- 그곳에 가면, 기대되는 글들이 있다

문득 '깨진 유리창의 법칙'이 생각났습니다. 처음에는 사소하다고 생각했던 작은 문제나 잘못이 크게 확대되는 경우에 인용되곤 합니다.

일단 이런 분위기가 만들어지면, 계속해서 확대 재생산된다는 의미도 내포하고 있습니다.

글쓰기에도 이 법칙이 적용될 수 있겠다는 생각이 듭니다. 어떤 분류의 글들이 올라오기 시작하면, 그런 류의 글들이 자연스럽게 증가하는 경향을 보입니다.

종이책 원고를 쓴다는 것

요즘은 종이책도 원고지보다는 컴퓨터 앞에 앉아서 쓰는 추세입니다. 개인적으로, 책을 구상하는 단계에서는 종이에 몇 가지 주제를 적어서 펼쳐놓고, 생각하는 시간을 좋아합니다.

종이책을 위한 원고를 작성할 때는, 페이지당 글자 수가 제법 많았습니다. 이미지, 단락 변경과 여백도 최소화하려 했습니다.

으레 책이라면 그렇게 써야 하는 줄 알았던 시기가 있었습니다. 이렇게해서 200페이지 정도는 원고가 준비되어야, 책을 낼 수 있겠다는 생각을 했었습니다. 그리고, 요즘은 출판사에서 종이책을 출간할 때 전자책도 같이 만들어 줍니다.

이런 상식을 가지고, 온라인 시장으로 들어오니 개념부터 혼선이 온다. 여러 온라인 출판사를 통해서 책을 출간해보니, 플랫폼에 따라서 서로 다른 개성이 있었습니다.

치열한 경쟁 속에서 살아남기 위해서는, 나름의 차별화 작업을 계속 해 나갈 것으로 기대됩니다.

온라인에 어울리는 글을 쓴다는 것

· 브런치

작품이 되는 이야기, 브런치스토리
브런치스토리에 담긴 아름다운 작품을 감상해 보세요.
그리고 다시 꺼내 보세요.
서랍 속 간직하고 있는 글과 감성을.

출처: brunch.co.kr

: 가장 자유로운 분위기라고 할 수 있습다. 본문에 이미지를 추가하는 것도
옵션입니다. 자유롭게 가슴속에 담긴 생각과 경험들을 풀어낼 수 있습니다.
글을 쓰는 것에 방해되는 것은 최소화하려고 하는 것이, 규정이라면 규정입
니다.

한 개인의 역사가 된, 희로애락이 담긴 가슴 속 이야기들이 많이 올라온다.

어그로를 끄는 이벤트나 돈 벌기, 또는 광고성 글들은 보기 힘듭니다. 어느새 '브런치 작가'라는 타이틀이 주는 이미지가 세간에 형성되어 있다고 할만큼, 대부분의 작가 한 사람 한 사람이 자부심을 가지고 글에 정성을 쏟아냅니다.

브런치를 보면 그런 생각이 듭니다.

'권위는 누가 만들어 주는 것이 아니라, 스스로가 그렇게 행동할 때 나오는 것이라고.'

"나 요즘에 브런치에 글을 쓰고 있어"

이 한 마디로 나를 설명하기도 합니다.

· 블로그

: 나름의 글쓰기 규칙이 있습니다.

글과 이미지가 조화를 이루고, 이미지 사용에도 제한이 있습니다. 이 규정을 따르지 않을 경우에, 글이 제삼자에게 노출되지 않기도 합니다. 그리고, 얼마나 많은 이웃들이 반응하는지도 평가 항목에 들어갑니다.

이 외에도 네이버 봇이 판단하는 좋은 글이라는 기준이 있습니다. 그래서, 글을 읽는 사람의 관점에서는 공감이 가는 좋은 글이라고 하더라도, 봇 기준으로는 품질이 낮은 글이라고 평가될 수도 있습니다.

그렇다 보니, 원고 자체에 집중하는 한편, 자기 검열도 일어납니다. 물론 개의치 않고 마이 웨이를 고집할 수 있지만, 그만큼 내 글의 노출이 제한될 수 있다는 것을 감수해야만 합니다.

상업적인 글, 트렌드 소개 등 다양한 현실 사회를 온라인으로 옮겨 놓은 듯한 모양새이다.

누구나 쉽게 블로그에 글을 쓸 수 있으니 저변 확대가 용이하다는 장점이 있습니다. 현재 2천만 개 이상의 블로그가 개설되어 있다고 하니, 그만큼 블로그를 운용하는 사람들의 연령대나 직업도 다양하다고 할 수 있습니다.

결이 다르거나, 서로 관심 없는 주제를 다루고 있더라도 이웃을 맺고 소통할 수 있는 공간으로 자리매김했습니다. 정보성 글도 많이 올라오는데, 그 진위 여부를 구분할 줄 아는 판별력이 요구되기도 합니다.

・ 전자책

: 전자책이라고 불리지만, 정식 등록된 책이 아니라 전자문서를 재능마켓에 올리는 경우에 한정하겠습니다.

'책은 역시 종이책이지~' 하는 사람들에게는 아직까지도 낯선 플랫폼입니다. 책의 구성도, 가격도 출판사보다는 작가의 의중이 많이 반영됩니다. 책의 전체 구성보다는 핵심 내용에 더 초점을 두는 편입니다.

어떤 경우에는 한 페이지의 글자 수가 얼마 되지 않는 경우도 있고, 이미지가 절반을 차지하기도 합니다. 가격 또한 종이책의 두 배, 세 배를 훌쩍 뛰어넘기도 합니다만, 수요가 있습니다.

재테크, 취미생활 등의 카테고리를 중심으로 이미 많은 책들이 온라인 플랫폼에 올라 와 있으며, 앞으로도 이런 추세는 당분간 이어질 것으로 보입니다.

종이책처럼 서점에 가서 책 전반의 구성이나 내용을 볼 수 없음에도 불구하고, 누군가는 가치를 인정하여 비싼 돈을 주고 구입합니다.

> 정보의 격차가 곧 수익의 차이를 만들어 낸다

어디에 혼적을 남길 것인가?

글이라는 것은, 내가 마음먹기에 따라서 언제 어디서나 쓸 수 있습니다. 이왕이면 각 플랫폼이 가진 특성을 고려해서, 가장 적합한 곳에 글을 쓰는 것이 좋지 않을까 생각해 봅니다.

왜냐하면, 당장 내 글을 보러 오는 사람이 많지 않더라도, 내가 쓴 글이 어울리는 공간에 머물러 있다면, 나중에라도 누군가가 찾아와서 공감을 표시해 줄 것이기 때문입니다.

개인적으로, 이것이 브런치를 고집하는 이유이기도 합니다. 세월이 흘러 뒤돌아 보았을 때, 브런치에 내 글들이 보관되어 있는 것은 기분 좋은 추억으로 자리할 듯 합니다.

"시간에 따라서 나열한 나의 생각 묶음이 바로 나이다"

내 책과 어울리는 플랫폼은?

– 내 책은 어디에서 내는 게 좋을까?

어떤 플랫폼들이 있는가?

온라인에 다양한 출판 플랫폼이 등장했고, 이런 추세는 계속되리라 생각됩니다. 전자책을 낼 수도 있고, 종이책도 제작해 준다고 합니다. 하지만 평소에 관심이 없었다면, 주변 지인이나 검색을 통해서 알게 된 사이트만 방문하게 될 것입니다. 여기서 조금 더 관심을 가지면, 생각보다 다양한 채널들이 있다는 것을 이해하게 됩니다.

이것을 이해하기 위해서는 사전 조사가 필요합니다. 단순히 인터넷 검색으로 사이트를 나열하는 것에서 그치지 않고, 각 채널의 특성을 정리하고 분석해 볼 필요가 있습니다.

출판 루트	특징 01	특징 02
펀딩	- 한시적 판매	- ISBN 발급을 고려하지 않음
		- 전자책 외 다른 상품 추가 구성 가능
재능마켓	- 상시 판매	예) VOD, 일대일 컨설팅 등
		- 원고 업데이트가 용이
		- 비교적 자유로운 원고 작성
온라인 출판사	- 상시 판매	- 대형 온라인 서점에 유통
	- ISBN 발급	- 도서 정가제의 영향을 받음

전자책 출간 루트별 특성

이렇게 분류를 해 두면, 내 책을 어디서 출간할지 더 선명하게 다가 옵니다. 예를 들어서, 전자책을 낸다고 하면 공식 책으로 등록할 지에 따라서 표와 같이 구분할 수도 있습니다.

하지만 이것으로 어디에 나의 전자책을 낼 것인지 결정하기에는 한계가 있습니다. 이외에도 추가로 고려해야 할 요소가 있기 때문인데요. 이런 부분을 이해하고 적용할 수 있다면, 다양한 출판 플랫폼을 보다 효율적으로 활용할 수 있게 됩니다.

> 그러면 어떤 부분을 더 따져 보아야 할까요?

그 이전에 내가 왜 책을 내려고 하는지 그 목적이 명확해야 합니다.

나는 왜 책을 쓰는가?

책을 내는 목적은 개인마다 다를 것입니다. 크게 보면

· 퍼스널 브랜딩

· 인세 수익

2가지로 구분할 수 있습니다.

먼저, 퍼스널 브랜딩이라고 하면 작가로 등록하고 나의 인지도를 올리는 것을 포함합니다. 강의를 하거나 글을 기고하는 프리랜서의 경우에도 본인 이름으로 나온 책이 있는 것이 유리합니다. 또한, 책을 한 권 냈다고 하는 경우와 10권을 출간한 작가라고 소개하는 것은 첫인상을 다르게 만들 수 있는 요소입니다.

이런 과정들을 거치면서 본인의 활동 영역을 넓혀갈 수 있고, 컨설팅 사업을 펼칠 여건을 만들 수 있습니다. 일종의 사회적 증거를 쌓아가는 과정입니다.

이에 비해서 인세 수익을 추구하는 것은 경제적 이유가 가장 큽니다. 내가 알고 있는 지식과 경험을 엮어서, 이것을 원하는 잠정 독자에게 판매하는 구조입니다. IT기술의 발달이 불러온 시장의 변화라고 할 것입니다. 실제로, 이런 온라인 비즈니스를 통하여 큰 수익을 만들어 내기도 하며, 지금도 많은 이들이 큰 수익을 꿈꾸고 도전을 하고 있습니다.

하지만, 이것이 전부는 아닙니다. 온라인 플랫폼을 통하여 책을 내는 경우에는 추가로 고려해야 할 사항들이 있는데요. 이것은 작가의 역량과 관련된 부분이기도 합니다. 예를 들어서,

· 표지 제작

· 상세페이지 만들기

위와 같은 과정들을 직접 할 것인지, 또는 외주로 진행할 지에 따라서 작가 스스로 한계를 규정짓기도 합니다.

직접 이미지를 제작하고, 이를 편집하고 활용할 수 있다면 모든 플랫폼을 활용하기에 유리합니다. 이런 역량이 갖춰지면, 내 책을 소개하기 위한 상세페이지를 화려하게 꾸밀 수도 있고, 심플하게 구성할 수도 있습니다.

작가로 이런 부분을 어려워한다면, 외주로 해결할 수도 있습니다. 아는 만큼 보이고, 할 수 있는 만큼 다양한 시도를 해 볼 수 있게 됩니다.

어느 플랫폼에 올릴 것인가?

전자책을 만들었다고 하면 어디에 등록을 해야 할까요?

앞서 설명드린 본인의 목적에 가장 부합하는 플랫폼을 활용하면 됩니다. 여기에 추가한다면, 각 루트별 수익구조가 다르다는 것을 이해해야 합니다. 온라인 출판의 수익률은 다음과 같습니다.

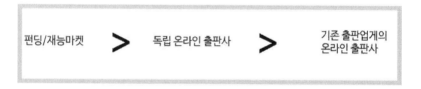

위와 같이 펀딩이나 재능마켓의 수익이 다른 채널보다 월등히 높으니, 그곳을 통하여 많은 전자책 (전자문서)이 나오고 있습니다. 그리고, 이러한 추세는 당분간 지속될 것입니다. 그렇다고, 인세가 제일 높은 플랫폼에 전자책을 내기만 하면 수익이 저절로 따라오는 것은 아니라는 점도 유념해야 합니다.

책의 주제에 따라서 어울리는 플랫폼이 따로 있습니다. 또한 책을 내는 목적에 가장 부합하는 온라인 출판사를 선택해야 합니다. 따라서, 각 플랫폼의 특성을 잘 파악할 필요가 있는 것입니다.

내가 책을 내는 목적을 명확히 하고, 나랑 가장 잘 맞는 출판 채널을 선택하는 현명함이 요구되는 이유입니다.

책 값은 어떻게 정해지나?

출판사에서? 내 마음대로?

책 값은 어떻게 정해지는 걸까요?

· 페이지당 단가 x 페이지 수

· 내가 받고 싶은 금액

단순하게 생각하면 이렇게 산출될 수도 있을 듯 하지만, 들여다보면 그리 간단하지가 않습니다. 출판사를 통해서 출간하면 책값이 정해져 있다고 생각할 수도 있으나, 예외적인 경우도 많습니다. 전자책으로 출간한다고 하더라도 내 마음대로 가격을 책정할 수는 없습니다.

여기서 조금 더 들어가면, 시장가격과 가격의 저항선이라는 고려사항이 등장합니다. 그래서 질문을 던지기 전에, 출판 프로세스를 먼저 이해하고 접근할 필요가 있습니다.

도서 제작에 얼마만큼의 노력과 비용이 들어갔나?

처음 책을 내려고 하는 작가가 이런 질문을 하는 경우가 가끔씩 있습니다.

"책 한 권을 내면, 얼마에 팔 수 있나요?"

이런 질문을 받는다면, 대부분의 전문가는 '그건 경우가 따라서 다르다' 라고 설명할 수밖에 없습니다. 우문현답이지만, 질문하는 작가의 갈증을 해소해 주지는 못합니다.

그래서, 인터넷이나 다른 자료를 뒤져보더라도 이를 속 시원하게 언급한 책은 찾아볼 수 없습니다. 이건 종이 책이냐, 전자 책이냐를 떠나서 출판 프로세스에 대한 이해가 선행되어야 합니다.

예를 들어 보겠습니다.

- 책에 들어갈 사진들이 필요해서 전문 사진가를 고용해서 수백 장의 사진을 찍은 경우

- 책의 표지가 무엇보다 중요하다고 생각해서 전문 디자이너와 한 달이 넘도록 작업한 경우

· 책 내용에 필요한 자료 수집을 위해서 국내뿐만 아니라 해외까지 방문해서 체류했던 경우

· 독자의 이해를 돕기 위하여, 책 대부분의 페이지를 컬러로 인쇄해야 하는 경우

· 책의 커버를 하드 커버로 제작해야 한다고 확신이 서는 경우

다른 한편으로,

· 내 책은 어떤 책들과 경쟁하게 되고 시장에서 어느 정도의 인정을 받을 수 있을까?

· 세상에 없던 차별화된 책이라면?

· 누군가의 인생을 바꿀 것이라는 확신이 있는 책이라면?

· 기존 출판 시장에서 매겨진 책의 가격을 내 책에 적용하고 싶지 않다면?

이런 책의 가격 결정요소를 따지고 들어 가면, 그리 단순한 문제가 아니라는 것을 이해하게 됩니다. 대충 짚어 보아도, 책 값의 변동 요인은 너무나 많습니다. 그 중에서 책 값에 직접적인 영향을 미치는 요소들도 있고, 고려되지 않는 항목들도 있습니다. 이런 고민들에 대한 기초자료들을 수집해 가다 보면 나름의 기준을 잡을 수 있습니다.

그래서, 책 값이 얼마인데?

역으로 생각해 보면, 시중에 나와 있는 책들은 모두 값이 매겨져 있습니다. 이런 흐름을 눈여겨보고, 분류를 해 보면 책 값의 책정 프로세스나 기준도 자연스럽게 추정해 볼 수 있습니다. 크게 보면 출판사를 통한 종이책과 온라인 플랫폼을 활용한 전자책으로 구분할 수 있습니다.

· 출판사를 통한 종이책

　: 출판사를 통해서 종이책을 내게 된다면, 어떤 종이를 활용하는지에 따라서 가격이 책정된다고 할 수 있습니다. 하지만, 속을 들여다보면 단가 책정이 그리 간단하지 않습니다.

1. 칼라 vs 흑백

　: 이것도 편의상 구분이며, 출판업계에서는 몇 도 인쇄라는 표현을 사용합니다.

2. 종이 코팅 여부

: 당연히 코팅을 입히면, 제조원가가 더 비싸집니다

3. 종이의 질

– 상질지/중질지

: 종이(섬유) 자체의 품질로 구분

예) 서점에서 보는 일반적인 흑백 본문의 재질은 상질지에 해당하는
모조지일 가능성이 높습니다

– 색깔에 따른 구분

: 백색이 일반적이나, 약간의 염료를 사용해 색상을 주기도 합니다

4. 종이의 크기

: 출판업계에서는 판형이라고 부릅니다. 일반적으로 A4 또는 A5가 많이
활용되나, 이외에도 다양한 크기로 책이 제작됩니다.

5. 그 외 요소

– 어떻게 제본하는지

: 시중에 나와있는 일반 도서는 무선 제본이 많으나, 이외에도 양장제본
이나 와이어 제본 등 여러 가지 방식이 있습니다.

– 초판에 몇 부를 찍는지

: 한 번에 몇 부를 찍어내는지에 따라서, 제작 단가가 달라집니다.

– 원고 페이지

: 같은 조건이라면 50페이지와 200페이지의 종이 책 제조원가가 다릅니다. 하지만, 앞서 살펴본 바와 같이 여러 가지 변수들이 존재하고, 단순히 책 두께만으로 책값이 결정되지 않습니다.

위 모든 것이 확정되면, 비로소 종이책의 가격이 매겨집니다. 이런 단가 책정 기준을 작가가 일일이 알고 있을 수 없으므로, 대부분은 출판사에 맡기는 방식으로 진행됩니다. 작가 입장에서는, 책의 최종가격과 페이지 수를 알 수 있으므로, 페이지당 얼마의 단가가 책정되었는지 역으로 계산할 수 있습니다.

• 온라인 플랫폼에 올리는 전자책

: 이 경우는 크게 2가지로 구분됩니다. 크게 나눠보면, ISBN을 발급하는 경우와 이를 고려하지 않는 경우로 구분할 수 있습니다. 즉, 전자책이라 하더라도 국립중앙도서관에 발급하는 국제표준도서번호(ISBN)를 받게 되면, 공식적으로 책으로 인정받게 되는 겁니다. 이렇게 되면, 종이책의 가격대를

고려한 금액이 전자책에 매겨질 가능성이 높습니다.

반대로 ISBN을 발급받지 않은 전자문서, 시중에서는 '전자책'이라고 부르지만, 공식적인 책으로 인정받지 못하는 경우입니다. 참고로, 종이책이든 전자책이든 ISBN을 발급받게 되면 2권의 책을 국립중앙도서관에 납본해야 합니다.

1. ISBN 발급 전자책

: ISBN을 발급받는 제일 큰 이유 중 하나는 온라인 서점에 입점하기 위한 것입니다. 즉, 교보문고나 알라딘 등에서 책을 판매하기 위해서는 ISBN이 있어야 합니다. 이렇게 기존 출판시장에 진입해서 책을 판매하게 되면, 기존 도서의 가격과 유사한 가격대로 매겨지게 됩니다.

여기서 기존 도서란, 종이책이 될 수도 있고 전자책이 될 수도 있습니다. 덧붙여, 온라인 서점에서 생각하는 책의 가격대가 있습니다.

외부에서 전자책이 하나 입고될 때,

- 유사 도서보다 비싼 가격이라면

  : 팔리지 않을 가능성을 고려해야 합니다.

- 유사 도서보다 저렴한 가격을 책정하면

  : 기존 종이책이나 전자책 판매에 미칠 영향을 고려해야 합니다.

2. ISBN 미발급 전자책

  : 앞서 언급했듯이 ISBN을 발급받지 않았다면, 공식적으로 책이 아니라 정보를 담은 문서입니다. 따라서 출판 관련 규정이나 제도의 적용을 받지 않습니다. 이로 인해서 다양한 사례를 목격할 수 있습니다.

- 20페이지짜리 전자책

- 2백만 원짜리 전자책

- 펀딩으로 정해진 기간에만 만날 수 있는 전자책

- 유통사를 통하지 않고, 개인 채널을 통해 판매되는 전자책

위와 같은 형태의 전자책 대부분이 ISBN을 발급받지 않은 상태에서 팔리고 있습니다. 물론, ISBN를 발급받았다고 위와 같은 경우가 없는 것은 아닙니

다. 즉, 소책자에 가깝거나 터무니없는 가격이 책정된 경우도 있습니다만, 이는 아주 예외적인 경우라고 할 수 있겠습니다.

이제 온라인 플랫폼에서 판매되는 전자책이 5만 원, 10만 원을 넘어가는 경우를 어렵지 않게 찾을 수 있습니다. 하지만, 아직 종이책과 함께 전자책을 판매하는 온라인 서점에서 이 정도 가격이 책정된 도서를 쉽게 볼 수는 없습니다.

이를 설명하려면 단순히 온라인 서점을 대체할 수 있는 온라인 플랫폼, 예를 들어서 클래스 101, 크몽, 탈잉, 펀딩사이트 등, 이 출현했다는 이유만으로는 설명이 부족합니다. 이 책의 수제에서 벗어나므로 더 이상 다루지는 않겠지만, 더 복잡한 사회문화적 요인들과 자본주의적 요소들이 숨어 있다고 할 것입니다.

그래서, 내 책은 얼마로 해야 하나?

위에 언급된 사항들을 고려할 수 있다면, 내 책 값을 어떻게 결정할지 판단할 수 있습니다.

· 출판사와 계약

· 온라인 플랫폼과 계약

또는,

· 출판사의 도서가격 정책을 따를 경우

· 내가 원하는 가격을 인정해 주는 온라인 플랫폼을 찾은 경우

다른 한편으로,

· 종이책으로 출간할지

· 전자책으로만 출간할지

· 종이책과 전자책을 동시에 출간할지

이를 고려해서, 방향성을 잡으면 개략적인 책 값의 윤곽이 나옵니다. 즉, 출간 프로세스에 따라서 이미 유통되고 있는 서적들의 평균 가격을 확인해 본다면, 그 범위 내에서 내 책의 가격이 정해질 가능성이 높습니다.

결국 아는 만큼 보이고, 보이는 만큼 선택의 폭이 넓어질 수 있습니다. 다른 한편으로는, 책을 내는 목적을 중심으로 판단할 수도 있습니다.

· 수익화가 제1순위인 경우

· 저자라는 인지도와 신뢰를 우선시하는 경우

이렇게 내가 왜 책을 내려고 하는지 명확한 기준이 있다면, 유사 사례를 조사해서 개략적인 책의 가격대를 파악할 수 있습니다. 이런 과정을 통해서, **내 책의 가격대를 예상해 볼 수 있습니다.**

이런 시장조사를 마치면, 제삼자에게 내 책의 가격을 문의하기 전에 스스로 자문자답을 할 수 있을 겁니다.

"시장 경쟁력이 있는 내 책의 가격은 xxx이다"

책이 나왔다고 끝이 아니다

- 책이 출간되면 진행되는 프로세스

먼저 단어의 사전의 의미를 살펴보겠습니다.

끝

· 일정한 공간이나 사물에서, 더 이상 이어지지 않는 지점이나 부분

· 어떤 행동이나 현상, 시기가 멈추는 순간

· 더 이상 없음. 또는 더 이상 계속하지 않음

출간

· 책이나 사진, 회화(繪畵) 등을 인쇄하여 세상에 내놓음

원고 초안부터 탈고까지 긴 시간 매달려 있었던 작가라면, 생애 첫 책이 세상에 나오는 시점에 이제 끝이라는 해방감을 맛보게 됩니다. 하지만, 눈 앞에 현실은 작가를 그냥 두지 않는다는 것을 곧 실감합니다.

'세상에 내 이름으로 된 책이 나왔다고 끝이 아니라는 것을'

작가에게 출간의 시작과 끝은 어디인가?

책을 내는 과정은 우리네 인생과 많이 닮아 있습니다. 즉, 언제 태어나고 지구에서 어떻게 살아갈지 치밀하게 설계되어서 이 세상에 온 것은 아니기에, 살아가면서 우리 모두는 각본 없는 한 편의 드라마를 찍게 되는데요. 책의 탄생도 이런 측면이 있습니다.

언제 특정 주제의 책이 나올지는 작가조차도 모릅니다. 계획은 세울 수 있으나, 모든 게 정해진대로 흘러가지는 않죠. 자료 수집까지 따져보면, 원고에 착수하기 전부터 출간 준비는 이미 시작된 것입니다.

인생의 마지막 날을 쉽사리 예상할 수 없듯이. 책 출간의 끝도 어디라고 단정적으로 말하기는 어렵습니다. 책을 내는 과정에 힘을 보탠 각 주체에 따라서 출간의 끝을 보는 다양한 시각이 있을 수 있습니다. 먼저 전통 종이책을 기준으로 한다면,

• 출판사

  : 책을 제작하고 유통 채널을 통해서 납품 및 반품 과정을 거치면서 자연

스럽게 손을 떼는 시점이 온다

· 유통사

  : 책을 받아서 전시하고, 더 이상 전시할 공간이 없거나 구매가 이뤄나지 않는 책들은 손절을 한다

· 작가

  : 책 출간 후 홍보 활동을 하고, 이후에 출간된 책과 관련된 활동들을 마무리하면서 점차 멀어진다

이런 관점은 전자책이라고 별반 다르지 않습니다. 다만, 실물 공간이 필요하지 않다 보니 유통 단계에서 보관이나 반품 등이 필요하지 않습니다. 사람들이 책에 대해서 말을 하지 않게 되고, 작가도 출간 이전의 일상으로 돌아가는 시기가 오면 작가의 대부분 활동도 마무리가 됩니다.

책이 나온 후 작가의 활동은?

작가가 누구인지, 그리고 출판사가 어디인지에 따라서 천차만별로 나눠질 수 있습니다. 일반적으로 작가의 인지도가 높지 않은 경우에, 외부에서 작가에게 연락하고 싶은 경우에는 출판사로 연락을 하게 됩니다.

> 출판사와의 판권 계약에 따라서, 출판 이외의 작가 활동에 따른 수익을 출판사와 나누기도 합니다.

작가가 사회적 인지도가 높고 온라인 등에서 활동 중이라면, 출간 직후에 작가에게 직접 연락을 할 수도 있습니다. 이를 통해서 작가는 외부 인터뷰나 강의를 할 기회를 잡을 수 있습니다. 이런 활동들이 있다면, 책의 추가 판매에 영향을 미치게 됩니다.

드물기는 하지만, 연극이나 영화 제작, 번역 등을 위하여 출판사에 문의가 오는 경우도 있습니다. 이런 경우는, 출판사가 주도적을 대응을 하면서, 작가와 협의를 하게 됩니다. 이를 책의 이차적 사용이라고 부르기도 합니다.

추가로, 작가가 강의 등 거래처를 추가로 발굴하기 위해서 신간도서를 활용할 수도 있습니다. 주로 신간도서에 언급된 작가의 전문성을 어필하면서 협회나 기관 등 단체에 강의할 기회를 직접 알아봅니다.

신간 도서를 경품으로 하는 이벤트를 진행하면서, 책과 작가 홍보를 하는 경우도 있습니다.

다음 책 출간까지 이어질 수 있는 활동

홍보 뿐만 아니라 강의까지 생각하는 작가라면, 책 출간 직후에만 활동을 하는 것이 아니라 평소에 여러 단체에 존재감을 알리고 신뢰관계를 구축해 놓을 필요가 있습니다. 평소에 강의나 협업을 하고 있었다면, 신간 홍보에 유리하다고 할 수 있습니다.

이외에도 최근에는 작가가 직접 SNS 채널을 운영하기도 합니다. 이를 통해서,

· 평소 작가의 생각을 나누고

· 찐 팬들을 만들면서 소통을 이어가고

· 신간 내용 일부를 출판 전에 소개하고

· 출간 이후에는 적극적으로 홍보하는 등

여러가지 활동을 이어갑니다. 여기에 덧붙여, 다른 채널에도 등장하여 본인

의 존재감을 알리기도 합니다. 이제 SNS 홍보는 선택이 아니라 필수인 시대가 되었으니까요.

독서 모임 등에 참여해서, 다양한 장르의 책도 접하고 커뮤니티 활동을 계속하기도 합니다. 작가라는 직업의 특성상 최신 출간 트렌드를 파악하고 있는 것도 도움이 됩니다.

이외에도 작가가 평상 시 활동을 꾸준히 이어갈 때, 롱런의 기반을 구축할 수 있습니다.

Part 05. 펀딩으로 책을 낸다는 것

펀딩으로 책을 낸다는 것 -1

- 영업 마인드가 있는 사람? 빨리 글을 쓰는 사람?

펀딩에 뛰어들기까지

최근에 펀딩으로 책을 냈다는 소식이 주변에서 많이 들려왔습니다.

(참고로, '독자가 돈을 주고 책을 산다'라는 표현은 펀딩 사이트에서 다음과 같이 표현합니다.

'서포터가 응원을 하고 리워드를 받는다'.)

> 펀딩으로 책을 낸다고?
>
> 원고를 쓰지 않고도 책이 먼저 팔린다고?
>
> 페이지 수가 종이책만큼 되지 않아도 괜찮다고?

솔깃한 소식들을 듣고 나니, 일단 저질러 보기로 합니다. 경험만한 자산은 없으니까요. 그렇게, T사의 펀딩에 참여해서 책을 출간해 보기로 합니다.

펀딩 초보의 좌충우돌

하지만, 놓쳤던 부분이 있었습니다. 종이책이든 전자책이든, 서점이든 펀딩이든.

"독자가 내 책에 관심을 가지게 해야 하는 것은 다를 게 없었습니다."

1차적으로 표지에서, 보고 싶다는 끌림이 있어야 합니다.

따라서 표지 디자인과 제목이 중요하였습니다만, 그동안 디자인과는 거리가 먼 삶이었는데, 펀딩을 한다는 이유만으로 평균 이상의 디자인 이해도가 필요했습니다. 그리고, 관심을 끌 수 있는 제목을 만들어 낼 수 있어야 했습니다.

첫 번째 난관에 부딪혔습니다.

과연, 펀딩으로 전자책 출간하기는 무사히 진행될 수 있을지 걱정이 앞서니 그 다음 단계는 아예 보이질 않습니다.

하지만 부딪혀 봐야 배우는 것이 있으니, 어떻게든 도전해 보기로 합니다. 표지뿐만 아니라, 썸네일이라는 조그만 그림도 들어가야 합니다. 첩첩산중이네요.

그림, 디자인, 시각화가 익숙하지 않은 작가에게는 장벽으로 느껴지는 부분이 될 수 있습니다.

여러 가지로 독자의 눈을 사로잡기 위한 장치와 설정들을 해야 합니다. 그래서, 독자가 제목을 보고 나서 적어도 목차를 보고 싶다는 호기심을 느끼도록 해야 합니다.

아직 책은 완성되지 않았기에, 더욱 책 설명에 집중해야 합니다. 책 표지(제목)와 목차에 공을 들이는 이유이기도 합니다.

그리고, 펀딩 사이트에서는 상세 페이지라는 것을 제작해야 합니다. 독자들에게 왜 이 책을 만드는지, 어떻게 도움이 될 것인지 친절히 알려주어야 합니다.

생각해 보면, 작가가 아직 세상에 나오지 않은 내 책을 팔기 위한 영업사원이 되어야 하는 단계입니다. 임팩트 강한 이미지를 활용할 수 있다면 도움이 될 것입니다.

아직까지 예비독자가 발걸음을 돌릴 가능성은 남아 있습니다. 펀딩이 시작되고 독자들이 결재(펀딩사이트에서는 후원이라고 합니다) 할 때까지는 끝난 게 아닌 거죠.

위와 같은 노력에도 불구하고 후원이 많지 않아서, 펀딩 최소 금액을 넘어서지 못한다면 펀딩은 취소됩니다. 그래서, 펀딩사이트에서는 또 다른 장치를 해 두었습니다. 펀딩 개시 전 사전 홍보를 해서, 펀닝이 실제 개시뇌년 예비독자들에게 알림이 가도록 하는 겁니다.

이를 통해서 펀딩사이트나 작가는 예상 수요를 확인할 수 있고, 독자는 펀딩이 언제 시작하는지 굳이 기억하지 않아도 되는 이점이 있습니다.

펀딩이라는 트렌드에 대한 단상

요즘은 종이책도 이런 마케팅 전략을 사용하고 있지요. '예약판매'라고 해서, 책이 출간되기 전 홍보 겸 구매 예약을 받고 있지요.

차이점이라고 하면, 종이책은 아직 책이 출간되지 않은 상황에서 구매까지 완료해야 합니다. 하지만, 펀딩으로 나오는 전자책은 홍보기간에 관심이 있다는 것만 표시하면 되고, 실제 구매(후원)는 펀딩이 정식으로 시작되고 나서 참여합니다. 그리고 결재는 펀딩 종료 시점에 진행하도록 나뉘어져 있습니다.

새로운 시스템이라서 낯설기는 하지만, 한편으로 합리적이라는 생각도 듭니다. 책을 사 줄 사람이 없다고 판단되면 (펀딩이 실패하면), 책을 완성하지 않아도 되는 구조이니까요.

하지만, 종이책에 익숙하고, 책은 오랜 시간 공 들여서 만드는 창작물이라고 생각하는 작가라면 거부감이 들 수도 있습니다. 예전에는 없던 방식이니까요. 누가 내 책을 사준다고 하니 (펀딩이 성공하면), 그때부터 단기간에 글을 열심히 쓰겠다는 정책이 탐탁지 않을 수도 있습니다.

이런 이해를 바탕으로 펀딩사이트의 요구사항에 맞추고, 잠재 독자의 관심을 끌도록 책을 구상해 볼지, 말지는 작가의 선택입니다.

하지만, 펀딩을 통한 책 출간은 이미 하나의 트렌드로 자리 잡았습니다. 여기에는 펀딩 플랫폼에서 다른 곳보다 많은 수익을 보장하는 것도 한몫을 했다고 보입니다.

오늘 펀딩사이트에 들러서, 어떤 책들이 나와 있는지 한 번 구경해 보는 건 어떨까요?

왜냐하면, 펀딩이 끝난 책들은 더 이상 어디에서도 구매할 수 없는 경우도 많으니까요.

펀딩으로 책을 낸다는 것 -2

- 책 값은 얼마로 해야 하나?

종이책의 도서가격 책정

종이책을 출간할 때는 출판사와 협의하지만, 전자책으로 펀딩 할 때는 작가가 고민해야 할 것 중의 하나가 책값을 얼마로 할 것인가 하는 점입니다.

에세이나 경제도서 등의 종이책은 일반적으로 페이지수에 따라서 책값이 매겨지는 편입니다. 하지만, 전문서적, 또는 책에 사진이나 그림이 많이 들어간 책들은 별도의 기준으로 더 비싼 도서가격이 책정됩니다.

개인적으로도, 기 출간한 2권의 기술서적은 3번째 출간한 자기 계발 서적에 비해서 2배 또는 3배의 가격이 책정되었습니다. 즉, 타깃 독자를 뾰족하게 잡고, 예상 독자들은 조금 비싸더라도 구매할 것이라고 판단한 겁니다.

마찬가지로, 대학교재의 경우도 일반 도서에 비해서 고가를 형성하고 있지요. 출판한 도서가 교재로 활용된다면, 베스트셀러까지는 아니더라도 스테디셀러가 될 가능성이 높다고 할 것입니다.

[도서] 실무에 바로 활용하는 프로젝트 관리 템플릿

민택기,김동휘,김승식,심재필,전재영,조홍건,최경선 ...

35,100원

[도서] 직장인으로 성공한다는 것 : 20년 노하우가 담긴 직장생활 분투기

조홍건 저 | 미다스북스(리틀미다스)| 2023년 06월

15,300원

[도서] PMI-SP(PMI Scheduling Professional)

박성철,조홍건,차기호,하건영,지승환 공저 | 성안당 |...

45,000원

출처 : yes24.com

전자책 펀딩의 상품 설계

전자책을 펀딩으로 출간하는 경우에는, 이와 다른 과정을 밟습니다

(현재 진행 중인 T사의 경우를 예시로 설명하겠습니다)

녹자증도 뾌속하게 설계하지만, 예상 판매수량까지노 선성합니다. 이내 등 장하는 용어가 프로젝트 예산, 펀딩금액, 선물, 아이템이 있습니다.

· 프로젝트 예산

   전자책 펀딩을 위해서 소요되는 비용

· 펀딩금액

   펀딩을 통해서 희망하는 모금 금액

예산은 작가가 생각하는 지출 예상금액을 항목별로 기재하는 것입니다. 예를 들어서,

- 인건비

- 배송비

- 디자인비

등이 발생될 수 있을 것입니다

펀딩금액은, 이번 펀딩을 통해서 희망하는 모금액이므로, 작가의 희망사항을 적을 수 있습니다. 하지만 일반적으로 프로젝트 예산 수준에서 기재를 합니다.

예) 프로젝트 예산이 5십만 원이면, 펀딩금액도 5십만 원으로 기재하는 것입니다.

물론 똑같이 작성하지 않아도 됩니다. 작가가 생각하는 예상비용과 목표 모금액을 별도로 기재하면 됩니다. 하지만 첫 펀딩을 하는 작가라면, 이런 부분도 낯설고 어렵게 다가올 수 있을 겁니다. 그럴 때는, 너무 고민하지 말고

예산과 펀딩 금액을 동일하게 작성해 주면 됩니다.

"펀딩의 최소 금액은 5십만 원입니다."

즉, 펀딩을 했는데, 모금액이 5십만 원을 초과하지 않으면 펀딩은 취소된다는 의미입니다. 그리고, 따로 상한선은 없습니다. 이 부분이 펀딩의 매력이기도 합니다.

작가가 상품(펀딩사이트에서는 선물이라고 표현합니다)을 어떻게 설계하느냐에 따라서, 전자책 한 권으로 다양한 상품 포트폴리오가 만들어지며, 이에 따라서 다양한 가격을 매길 수 있습니다.

전자책 한 권으로 구성할 수 있는 상품 카테고리의 몇 가지 예를 들어 보겠습니다.

1. 얼리버드

   : 펀딩 시작 후, 하루 또는 이틀 안에 구매하시는 분들에게 저렴한 가격으로 제공

2. 표준

: 얼리버드 이후에 참가하시는 분들에게 제공하는 가격

3. 프리미엄

: 표준에 추가로 제공할 수 있는 상품을 포함하는 가격

예) VOD 또는 일대일 컨설팅 등과 전자책을 패키지로 포함하는 상품 설계

물론 이외에도 다양한 상품 카테고리를 만들어 낼 수 있습니다. 여기서 프리미엄 상품이 작가의 무형자산을 상품화하는 통로가 됩니다. 이 부분이 종이책과 확연히 구분되는 특징입니다.

(사실은 이 설명을 하고 싶어서, 전자책 펀딩을 소개합니다)

작가가 독자에게 제공할 수 있는 다른 무언가가 있다면, 서로 윈윈 할 수 있습니다.

1. 다른 도서

: 기존에 출간했으나, 많이 알려지지 않은 책들을 패키지로 상품화

2. 일대일 코칭

  : 책에서 언급하는 내용에 관해서, 독자에게 일대일 코칭을 진행하는 상품

    예) 글쓰기, 심리상담, 커리어 고민, 재테크 실전 등

3. VOD

  : 책의 주제와 연결된 동영상(VOD)이 있는 경우, 패키지로 상품을 구성

그래서 책값은 얼마가 될까요?

위에서 언급한 바와 같이, 얼리버드/표준/프리미엄을 기준으로 한다면 '표준'의 책값이 종이책의 정가와 같은 개념이 됩니다. 표준이라는 기준이 생기면, 얼리버드는 더 싸게 프리미엄은 더 비싸게 가격을 책정하는 구조입니다.

여기서 프리미엄은 어떤 상품을 추가로 구성하는 가에 따라서, 다양한 가격설정이 가능합니다. 펀딩 사이트에 들어 가시면, 보다 다양한 예시들을 확인하실 수 있습니다. 여기서 간단히 언급하자면

- 기존 출간도서와 묶은 팩키지 상품 구성

- 추가 선물을 제공하면서 팩키지 상품 구성

- 카카오톡 질의응답권 포함

- VOD만 추가하는 상품 구성

- VOD와 일대일 코칭을 모두 포함하는 상품 구성

등이 가능합니다.

상품 설계 끝날 때까지 끝난 게 아니다

재미있는 것은, 각 상품 카테고리별로 펀딩에 참여 가능한 인원을 지정할 수 있다는 겁니다. 이 부분도 금액만큼이나 작가가 고민해서 설계해야 하는 항목입니다.

즉, 얼리버드에 제한이 없다면 모두 얼리버드를 선택하고 싶겠죠? 하지만, 표준과 프리미엄의 경우에는 참여 인원을 제한할 필요가 없습니다.

하지만, 프리미엄으로 제공할 수 있는 상품 또는 서비스에 제한이 있다면, 펀딩 참여인원도 제한을 해야 할 겁니다.

만약, 최대한 많은 인원에게 혜택이 돌아가도록 상품을 설계하기 위해서는 실제 상품이나 서비스 제공에 기간이 소요될 수 있다는 점을 사전에 안내할 필요가 있습니다.

이렇게 함으로써, 단기간에 과부하가 걸려서 작가가 힘들어 할 만한 상황을 미연에 방지하고, 계획적인 상품 또는 서비스 제공이 가능할 것입니다.

펀딩으로 전자책을 출간하는 이유

.

개인적으로 전자책 펀딩을 준비하면서, 프리미엄 제품을 설계할 수 있다는 것에 매력을 느꼈습니다. 왜냐하면 책은 인터넷에서 검색을 해 보면 유사한 책들을 발견할 수 있습니다. 그리고, SNS상에 올라오는 글들도 전문지식을 기반으로 한 글들이 많이 있습니다.

하지만, 일대일 코칭이나 컨설팅은 누구도 대신할 수 없는 작가만의 무기입니다. 펀딩 사이트는 이러한 경험과 노하우를 수익화로 연결시켜 주는 플랫폼입니다.

물론, 펀딩 사이트를 계속 애용할 계획인데, 처음이라서 상품을 올리는 프로세스를 최소한의 과정으로 진행해 보고 싶다면 전자책 한 권으로 시도해 볼 만 합니다.

처음 펀딩을 한다면, 여러 가지 생소하고 복잡한 절차로 인해서 번거롭고 불편하다는 느낌을 받을 수도 있습니다. 하지만, 본인이 좋아하고 잘하는 것으로 경제적 이익을 만들어 낼 수 있다는 점에서 도전할 가치는 충분히 있다고 생각합니다.

펀딩으로 책을 낸다는 것 -3

- 펀딩 상식 넓히기

"이제 펀딩이 대세입니다"

2년 전쯤 처음 알게 되었던 문구입니다. 당시 느낌은 이랬습니다.

> 펀딩으로 책을 낸다고?

그렇게 신기해하면서, 다른 한편으로는 남의 이야기로 치부해 버렸습니다. 그러다 본격적으로 글을 쓰기로 마음먹고 나서 보니, 전자책 펀딩사이트가 다시 눈에 들어옵니다. 뭐든지, 자기 일이 되어야 관심이 가는 건 어쩔 수 없나 봅니다.

펀딩에 관한 상식

오늘은 펀딩 사이트를 조금 가깝게 느낄 수 있도록, 상식을 넓히는 이야기를 하고자 합니다.

1-1. "펀딩으로 책 출간했어"에 담긴 의미 -1

: 전자책 펀딩을 위해서는 2번의 선택을 받아야, 전자책이 세상에 모습을 드러낼 수 있습니다.

- 펀드 사이트의 심사

: 펀딩 플랫폼에서 작가가 준비한 내용(원고, 상세페이지 등)이 펀딩에 적합한지 심사를 합니다.

-> 승인이 되어야, 잠재 독자들을 만날 기회가 주어집니다.

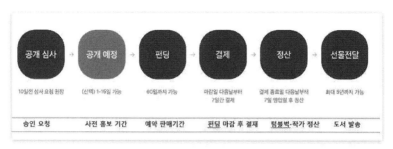

출처: tumblbug.com

T사의 펀딩 프로세스

출처: wadiz.kr

W사의 펀딩 프로세스

- 잠재 독자 (서포트, 후원자)의 선택

: '전자책을 펀딩 합니다~' 하고 펀딩(모금)을 시작한 후, 목표 금액 이상을 모금해야 펀딩이 성공적으로 마무리됩니다.

-> 목표 금액을 달성하지 못하면, 프로젝트는 종료되고 책은 세상에 나오지 못합니다.

1-2. "펀딩으로 책 출간했어"에 담긴 의미 -2

: 펀딩으로 책을 출간한다는 것은, 축제 현장에서 행사기간에만 장사를 하는 것에 비유할 수 있습니다. 즉, 펀딩기간 동안 집중해서 책을 완성하여 후원한 고객들에게 책을 배포하면 프로젝트는 종료됩니다. 이렇게 한시적 판매가 이뤄지다 보니 뒤늦게 관심 분야의 펀딩 소식을 알게 되면, 아쉬움만 클 수 밖에 없습니다.

2-1. 펀딩 사이트에서의 홍보 -1

: 펀딩 사이트로부터 심사를 받기 위하여 제출하는 내용물로써 작가가 준비해서 승인을 받아야 합니다. 승인이 완료되면 펀딩 사이트에서 홍보자료로 활용할 수 있습니다. 홍보물은 대략 아래와 같습니다.

- 상품

: 원고 일부 (펀딩은 책을 완성하기 전에 진행하므로, 아직 완성본은 없는 상태임), 그 외 추가 상품

- 홍보자료 (상세페이지 또는 스토리라고 불림)

: 잠재 고객에게 전자책을 소개하는 홍보물, 일반적으로 시중에서 볼 수 있는 광고전단지와 유사

- 그 외 준비물

: 프로젝트 기획의도 설명, 작가 소개 등

2-2. 펀딩 사이트에서의 홍보 -2

: 펀딩 사이트에서 주관하여 SNS 등에 광고를 대행해 줌 (옵션이며, 선택 시 추가 비용이 발생됨)

-> 인지도가 약하거나, 홍보에 어려움을 느끼는 작가는 고려해 볼만 합니다.

3. 펀딩 사이트에서 출간하면, 비용이 얼마나 들까?

: 크게 3가지로 나눌 수 있을 것입니다.

가. 작가가 모든 것을 준비 (별도 비용 0원)

: 펀딩 사이트에 제출해야 하는 자료를 작가가 스스로 작업해서 준비할 수 있는 경우입니다. 어떤 작가님은 기념품까지 본인이 직접 제작하는 경우도 있습니다.

나. 펀딩 준비 중 비용 발생

: 책 디자인을 전문가에게 의뢰하거나, 책을 구매하시는 분들에게 증정할 기념품을 외주로 제작하는 경우 등입니다. 아직 심사 전이므로, 펀딩 사이트와는 상관없이 작가의 결정으로 판단할 내용입니다.

다. 펀딩 중 광고 집행

: 펀딩 사이트의 광고 프로그램을 이용하는 경우입니다. 가격대는 다양하므로, 펀딩 사이트와 협의하여 광고비 집행 여부를 결정하시면 됩니다. 예상 매출을 고려하여 가성비 있게 진행해야 할 부분입니다.

글을 써 온 작가님이라면, 전자책 원고 작성에는 무리가 없을 것입니다. 하지만, 생소한 플랫폼의 시스템을 접하다 보면 주눅이 먼저 들 수 있습니다.

낯선 용어와 메뉴 구성은 더욱 거리감을 느끼게 만들 수도 있습니다. 하지만, 이를 극복하고 프로젝트가 완성되고 나면 성취감을 맛볼 수 있는 곳이기도 합니다.

펀딩으로 책을 낸다는 것 -4

- 펀딩 실무 들여다 보기 -1

종이책 vs 펀딩 전자책

전자책 펀딩에 관심이 있을 작가님들을 위해서, 경험담을 공유하겠습니다. 대부분이 익숙하실 종이책과 비교해서 차이점을 설명해 보겠습니다.

	종 이 책	펀 딩 전자책
초기 접촉	출판사	펀딩 홈페이지
원고 투고	메일	일부만 홈페이지 게재
출판 여부 결정	원고를 보고 결정	- 창작물의 의도, 고유성, 참신성을 고려 - 펀딩이 목표 금액을 달성해야 출간
원고 퇴고/탈고	출판사와 협의해서 진행	작가 중심으로 진행
원고 구성	책 한 권을 구성할 수 있는 페이지 (최소 100페이지 이상을 염두에 두어야 함)	20페이지 이상이면 승인 가능 : 글자크기, 사진 첨부 등 구성이 자유로운 편
홍보	출판사 홍보채널 / 작가 홍보채널	펀딩 홈페이지 / 작가 홍보채널 (작가가 홍보물을 제작해야 함)
유통	서점에서 진행	작가가 고객에게 발송
상품구성	별책 부록 등을 추가 가능	- 작가의 다른 도서도 포함 가능 - 일대일 컨설팅도 상품으로 구성 가능

종이책 vs 펀딩 전자책 출간과정

전반적인 흐름에서, 종이책과의 차이점은 위와 같습니다.

펀딩 전자책 실무 프로세스

텀블벅을 예로 들어 보겠습니다. 홈페이지에 들어가면 아래와 같이 진행이 됩니다.

텀블벅 전자책 펀딩 시작하기

출처: tumblbug.com

'지금 시작하기'를 누르고 들어갑니다. 각 항목들을 사전에 파악해서 준비를 한다면, 작성이 오래 걸리지 않을 것입니다. 하지만, 아무런 준비 없이 항목들을 클릭한다면, 막막함이 앞설 수도 있습니다.

텀블벅 전자책 펀딩 시 주요 작성 항목

펀딩 프로세스의 세부 사항을 다루는 관련 서적을 참고하거나, 동영상을 시청 후 도전 해 보실 것을 권해 드립니다. 위 세부 항목은 텀블벅에서 펀딩 프로젝트를 승인받기 위한 과정이며, 이때까지 요구되는 원고는 6페이지 정도입니다. 그 이상의 원고 작업은 아직 진행하지 않아도 됩니다.

위 작업이 끝나야 텀블벅에서 심사에 들어갑니다. 그리고, 이어지는 심사에서 승인을 받아야만 펀딩 프로젝트를 오픈할 수 있다는 의미입니다. 비로소 고객들과 만날 수 있는 기회가 생겼다는 의미이기도 합니다. 펀딩 시작일은 작가가 설정해야 합니다..

종이책은 컬러가 많이 들어가면, 인쇄비용도 증가하니 출판사에서 부담스러운 부분이 있습니다. 왜냐하면 인쇄비가 증가하면 책값이 올라가야 하는데, 그만한 수요를 확실할 수 없다면 부담스러울 수밖에 없을 겁니다.

하지만, 전자책은 페이지수나 인쇄 부담을 고려하지 않고, 자유롭게 그림이나 사진을 본문에 추가할 수 있습니다. 그래서 이미지를 추가하는데 전혀 부담이 없습니다.

이미지가 많이 활용되다 보니, 외주를 맡겨서 디자인 작업을 하는 것이 아니라, 미리캔버스나 캔바와 같은 툴들을 활용하여, 작가들이 직접 이미지를 선정 및 편집하는 추세입니다. 역량 있는 작가들은 미리캔버스 또는 일레스트레이트로 이미지 작업을 진행합니다.

이 외에, 전자책으로 펀딩 하는 특징 몇 가지를 소개하겠습니다.

· 책 제목 이외에 홍보용 제목 별도 작성

· 전자책이 검색될 수 있도록 태그 생성

· 상세페이지 또는 스토리라고 불리는 상품 홍보문구 작성

· 다른 홈페이지 주소 등을 링크로 원고 본문에 삽입 가능

· 일부 개정판이 나오면, 독자에게 안내 가능

· ISBN을 발급받지 않아도 됨

펀딩 외 전자책 유통경로

오늘의 주제는 아니지만, 펀딩 이외 다양한 전자책 유통 채널을 간략히 언급해 보겠습니다. (대형 온라인 서점은 언급 대상에서 제외하겠습니다)

크몽에 등재하는 경우에는 크몽의 심사를 받는 과정이 있습니다. 승인을 받고 나면, 올려서 연중 상시 판매를 할 수 있습니다. 이 때도 전자책을 펀딩에 올리는 것과 유사하게 구성할 수 있으므로, 작가만의 차별화된 상품구성을 미리 계획해 두는 것이 유리합니다.

또한, 스마트 스토어나 본인만의 웹 사이트가 따로 있다면, 그런 채널을 통해서 판매하기도 합니다. 물론 펀딩이 종료된 후에 진행해야 합니다. ISBN을 발급받지 않고, 본인만의 유통 채널로 판매하게 되면 책의 구성과 내용은 전적으로 작가의 의도대로 진행할 수 있는 장점이 있는 반면에, 상대적으로 홍보에 어려움이 있을 수 있습니다.

이미 퍼스널 브랜딩이 구축되어 있고, 홍보 채널을 다수 확보하였다면 유튜브 채널을 통한 홍보도 가능합니다.

펀딩으로 책을 낸다는 것 -5

- 텀블벅 펀딩 승인을 받고 나서

펀딩 사이트에서 전자책 출간을 준비하는 글을 보면서 어떤 생각이 들었나요? '나도 한 번 해 볼까?' 하는 생각을 할 수 있을 겁니다.

이 글 말미에, 제가 처음 텀블벅에 펀딩하면서 찐으로 경험한 것들을 무료 나눔 하는 것에 대한 안내가 있습니다. 혹시 가까운 시일 내에 텀블벅에서 펀딩을 생각하시는 작가님들은 참고해 주세요.

하지만, 제가 만난 지인들에게 펀딩 이야기를 들려주었을 때, 여전히 남의 이야기, 글을 잘 쓰는 사람들만 할 수 있는 일이라고 치부해 버렸습니다.

그런데, 실제 도전에 나선 많은 분들의 면면을 보면 사회생활 경험이 없는 경우, 책을 처음 내는 경우 등 정말 다양한 사례가 많았습니다. 결국 내가 어떻게 생각하는가에 따라서 그 방향성이 결정되는 것이라고 할 수 있습니다.

사례 참조

펀딩 사이트에 올라온 샘플들을 보면, 너무 고급지고 수준이 높아서 오르지 못할 나무로 보이지는 않습니다. 하지만, 그 길을 모르면 중간에 헤매기 딱 좋은 것도 사실입니다.

온라인 사이트에 전자책을 내기로 했다면, 등록된 책들 중에서 나랑 주제가 유사한 책들은 어떤 것들이 있는지 눈여겨볼 필요가 있습니다.

왜냐하면, 시대적 흐름이나 트렌드는 무시할 수 없기 때문입니다. 똑같은 내용이라고 하더라도, 어떤 제목을 가지고 있고 또는 표지 이미지가 어떤가에 따라서 호불호가 갈리기도 합니다.

종이책처럼 현장에서 훑어볼 수 없기에, 제목과 표지의 영향이 훨씬 더 크지 않나 생각을 해 봅니다.

플랫폼의 첫 화면에는 성공 사례가 먼저 나열되어 있습니다. 훌륭한 성과를 만들어 낸 프로젝트의 경우에는, 종이책 시장에서는 기대하기 어려운 수익을 작가들이 가져갈 수 있습니다.

사이트를 자세히 들여다 보면, 펀딩에 성공한 작품 뿐만 아니라 펀딩이 무산

된 도서들도 열람할 수 있도록 해 두었습니다. 아래와 같이 카테고리에서 출판을 선택하고, 달성률에서 99%이하로 선택하면 실패한 프로젝트만 화면에 보여집니다.

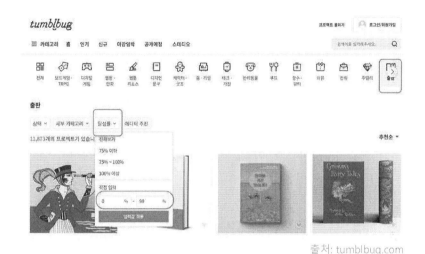

출처: tumblbug.com

따라서, 전자책 펀딩 계획이 있다면, 실패한 경우도 살펴보면서 왜 구독자(후원자)에게 다가가지 못했는지, 어떤 점이 개선되면 더 잘 어필할 수 있는지 분석해 보는 것도 도움이 됩니다.

낯선 플랫폼

텀블벅 초기 화면

웹 사이트를 방문하면, 처음 방문하는 작가들을 위한 안내 장치가 곳곳에 있습니다. 중요한 것은, 전체 그림이 머릿속에 없다 보면 당황하기 쉽다는 겁니다.

저는 전자책을 온라인 플랫폼에 올릴 때, 크게 3단계를 알아야 된다고 봅니다.

원고 작성: 적절한 이미지 활용이 중요한 요소 중 하나입니다. 가독성을 높일 수 있는 방법도 고민을 해야 합니다.

플랫폼에 올릴 상품 구성 및 등재: 전자책 이외에 함께 제공할 상품(선물) 구성, 그리고 상품을 플랫폼의 요구사항에 맞춰서 등재하기

마케팅 및 영업: 작가가 직접 영업을 한다는 각오로 홍보할 수 있는 채널과 방법을 숙지

저는 종이책을 출간해 보고 전자책으로 넘어오니, 원고를 작성하는 것은 부담을 크게 느끼지 않았는데 이어지는 2단계와 3단계는 생소하고 낯설기만 했습니다.

끝날 때까지 끝난 게 아닌 펀딩

모든 준비가 끝났다고 생각되면, 플랫폼에서 펀딩 신청을 합니다. 그러면, 곧 펀딩 심사팀에서 연락이 옵니다.저 같은 경우는 2번의 반려가 있었습니다.

개인별 생성 프로젝트 관리

출처: tumblbug.com

일단 반려 안내 메일을 받는다는 것이 기분 좋은 경험은 아니었습니다. 특히,

이런 경험이 처음이라면 불안감이 엄습합니다. 왜냐하면 안내 메일을 읽어보아도, 주최 측의 의도를 제대로 파악하지 못할 수 있기 때문입니다.

전화가 아닌 메일로 주고 받다 보니 소통의 한계도 느꼈습니다. 어쩔수 없이 혼자서 할 수 있는 부분을 수정해서 다시 심사팀에 제출하는 것이 최선이었습니다.

역으로 생각해보면, 시작 단계에서 방향성을 잘 잡고 준비를 해야, 반려되는 경우를 최소화할 수 있을 것입니다. 대부분은 재심사에서 통과하지만, 일부의 경우에는 끝내 심사 통과를 하지 못하고 포기해 버립니다.

결국 소통이다

펀딩 심사를 통과하면, 아니 그 이전부터 자신의 작품을 홍보해야 합니다. 평상시에 활동하는 커뮤니티뿐만 아니라, 다양한 채널을 통해서 존재감을 알려야 합니다.

왜냐하면 내 책의 존재감이 없어서 펀딩 목표 금액을 달성하지 못하면, 펀딩은 무산됩니다. 달리 말해서, 다른 많은 노력에도 불구하고 '전자책이 나오지 않는다'는 겁니다.

필요하다면, 펀딩 사이트에서 제공하는 유료 광고를 이용하여 나의 작품을 홍보할 수도 있습니다. 이것은 작가 스스로 판단이 필요한 부분입니다. 왜냐하면 홍보비용이 전자책 금액 대비 결코 싸지 않기 때문입니다.

또한, 펀딩에 참여하는 독자들과 적극적으로 소통해야 합니다. 펀딩 중간에도 작품의 업데이트 소식을 올리고, 커뮤니티에 올라오는 독자의 목소리에도 귀를 기울여야 합니다.

소통만 잘해도 펀딩 달성률을 올리는데 많은 도움이 됩니다.

승인과정과 결과

이제까지 공유드린 내용과 같이 실제 펀딩을 진행했었고, 아래 그림과 같이 최근에 승인을 받아서 2023년 11월 23일로 펀딩 오픈을 계획했습니다.

개인 프로필에서 볼 수 있는 프로젝트 승인 결과

출처: tumblbug.com

그 이전까지는 '알림 신청'을 받는 단계입니다.

즉, "앞으로 이런 펀딩이 진행될 예정입니다"라고 미리 안내를 하고, 관심이 있는 사람들은 찜을 해 두도록 하는 기간입니다. 찜을 해 둔 예비 독자들은, 펀딩이 시작되면 알림을 받도록 설계되어 있습니다.

독자(후원자)가 접속해서 보는 화면

출처: tumblbug.com

텀블벅에서 진행 예정인 프로젝트를 둘러 보시고, '알림 신청'도 눌러보시면서 펀딩이 어떻게 진행되는지 체험해 보시는 것을 추천드립니다.

저의 경우는, 전자책뿐만 아니라 기존에 발간한 종이책의 저자 보유분을 패키지로 엮어서 예비 독자들에게 어필을 하려고 했습니다.

또한, 이번에 텀블벅에서 전자책을 펀딩하기 위해서, 그동안 준비하고 승인 받았던 과정을 요약해서, 처음 텀블벅에 도전하는 작가님들께 도움을 드리고자 합니다.

혹시 오해가 있으면 안 되니까, 다시 말씀드리면 **텀블벅에 펀딩 하는 과정**을 공유드리는 겁니다. 작가님의 작품 내용에 대한 의견이나 피드백은 드리지 않는 점을 양해 바랍니다.

무료 나눔에 관심 있으신 작가님은 아래와 같이 신청해 주시면 됩니다.

1. 저의 채널톡에 가입해 주세요

  http://pf.kakao.com/_NuxjuG(http://pf.kakao.com/_NuxjuG)

2. 채널톡에 톡을 남겨주세요

http://pf.kakao.com/_NuxjuG/chat(http://pf.kakao.com/_NuxjuG/chat)

  : 브런치의 텀블벅 글을 읽고 나눔 자료에 관심이 있다는 내용과 함께, 자료를 받을 메일주소를 남겨 주시면 됩니다.

  예) 브런치의 텀블벅 글 완독 / 텀블벅 펀딩 무료 나눔자료 요청

Part 06. 책을 내고 얻게된 것들

책 출간은 성장의 과정이다

– 생각을 체계적으로 언어화하는 힘을 키우다

가끔씩 가족이나 지인과 대화 중에 이런 말이 불쑥 튀어나오곤 합니다.

"넌 생각이 있는 거냐? 없는 거냐?"

어찌 생각이 없을까요?

그보다는 그 상황에 맞지 않는 말과 행동을 지적하기 위한 경우가 대부분입니다. 논리적으로 맞지 않거나 앞뒤 상황을 고려하지 않은 말과 행동에 겨냥한 말들이죠.

언행은 일종의 습관이면서 그 시대의 문화와 연관성을 가집니다. 지금은 컴퓨터를 넘어서서 휴대폰에서 글을 쓸 수 있는 시대입니다. 그리고, 나의 생각을 표현할 수 있는 수많은 온라인 플랫폼이 등장했죠. 그래서일까요? 확실히 예전보다는 생각 없이 적었다는 느낌을 주는 글들이 늘어났습니다.

포스팅할 내용들을 작성하고 올리고 난 후에 어색한 부분이 발견되면, 다시고치면 된다고 쉽게 생각할 수 있습니다. 내 생각을 전혀 반영하지 않은 광고성 협찬 글을 올리는 경우도 많습니다. 이런 글을 보고 있노라면, 글은 생각을 담는 그릇이라는 고정관념이 깨집니다.

누가? 왜? 나의 글을 읽는가?

처음에는 독자를 의식하지 않고 글을 쓸 수도 있습니다. 첫 문장을 쓰기 전부터 이 부분을 너무 의식하다 보면, 한 줄 써 내려가는 것도 부담이 됩니다.

이건 블로그이든, 나의 첫 번째 책이든 상관없이 적용될 수 있습니다. 하지만, 글이 누적되어 가면서 글 쓴 이는 독자와의 접점을 찾아가게 됩니다. 이런 경험치가 쌓이면서 공감과 소통의 필요성도 실감합니다.

블로그에 방문자가 늘어나거나 또는 줄어드는 것을 확인합니다. 출간한 책이 한 달, 두 달 지나면서 판매 부수가 급격히 떨어지는 것을 확인하면서 여러 가지 생각이 듭니다.

독자의 마음을 쉽게 헤아릴 수 없습니다. 사전 조사가 이뤄졌다면 모르겠지만, 아니라면 운에 기댄 좋은 결과를 기대해야 하는 상황이 됩니다. AI를 활용하는 인공지능 시대에 살고 있지만, 여전히 대중의 심리를 파악하는 것은 쉬운 일이 아닙니다.

작가의 생각을 강요하는 것은 시장에서 통하지 않습니다. 아이러니하게도, 오로지 최신 트렌드 또는 인기 키워드만을 쫓아간다고 좋은 결과를 얻는다는 보장도 없습니다.

항 목	SNS	원 고
주제어	다양하게 다루어짐	주제어가 뼈대
카테고리	다양한 카테고리를 커버 가능	책이 분류되는 카테고리에 맞게 작성
접근성	무료	유료
트렌드	민감	덜 민감
상호작용	댓글로 빠르게 소통	책 출간 후 찐 팬과의 소통
변경	수정 또는 삭제 가능	출간 후 수정 불가
홍보	포스팅 글 자체가 관심을 끌어야 함	원고 작성 후 별도의 홍보 글을 써야 함
의도	연습용 글쓰기, 광고용 글쓰기 가능	주제에 따라서 수익화, 기록물, 정보성 글쓰기

여기서 혼란이 오면 글쓰기에 어려움을 느낍니다. 이럴수록 독자나 트렌드 등 외부에 집착하는 것이 아니라, 내면을 들여다보는 노력이 필요합니다.

· 나만의 색깔은 무엇인지?

· 나는 어떤 차별점이 있는지?

· 사람들은 내 글의 어떤 점에 반응하는지?

이것을 무시하고, 외부에서만 답을 쫓는 것은 위태롭다고 할 수 있습니다. 왜냐하면, 대체로 이런 글들은 그 유효기간이 길지 않기 때문입니다.

생각은 어떻게 언어화되는가?

작가가 글을 쓰기 위해서는 몇 단계를 거쳐야 비로소 글자로 표현됩니다. 먼저, 외부로부터 입력되는 데이터 또는 정보가 있어야 합니다. 이것은 하루이틀에 걸친 것이 아니라, 작가의 평생 동안 이루어지는 작업입니다.

여기에 인생의 경험치가 더해지고 나면, 이후에 들어오는 자료들은 수용되거나 버려집니다. 이후에는 나의 생각과 가치관으로 자리 잡게 되죠. 이 중에서 일부가, 원고를 쓰는 과정에서 언어화됩니다.

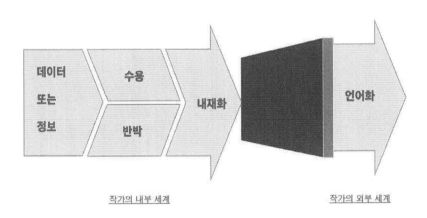

독자의 입장에서는 작가의 내부세계까지 들여다볼 수는 없고, 작가가 외부로 보여주는 창을 통해서 함께 교감합니다. 그렇기에, 작가는 어떻게 나의 생각과 경험을 언어화할 것인가에 대한 나름의 기준이 있어야 합니다.

같은 내용이라도 다음과 같이 표현을 달리할 수 있습니다.

· 직접 묘사

· 간접 묘사

· 설명적 묘사

· 암시적 묘사

· 은유법

· 비유법

다음으로 무엇을 강조해서 표현하느냐에 따라서 느낌이 달라질 수 있습니다.

· 인물

· 상황

위와 같이 짧게 언급될 수 있지만, 이를 파고 들어가면 꼬리에 꼬리를 물고 확장될 수 있습니다. 마치 복선을 깔아놓은 것처럼, 독자에게 설명 아닌 설명을 할 수도 있고, 역으로 쉬운 설명으로 공감을 이끌어 내기도 합니다. 이것도 작가의 스타일에 따라서 다를 겁니다.

스토리가 있으면서, 독자들의 공감을 이끌어 낼 수 있는 작가

글에도 힘이 있다

사람도 에너지가 넘치는 사람이 있듯이, 글에도 전달되는 힘이 있습니다. 이것이 독자에게 전달되기 위해서, 같은 내용이라도 대상에 따라서 다르게 풀어나갈 수 있어야 합니다. 마치 가수가 음을 가지고 놀듯이, 작가가 글을 가지고 논다는 표현을 하기도 합니다.

추가하여 스토리 전개방식까지 공감을 이끌어 낸다면 독자와 이루어지는 소통이 더 용이해질 것입니다. 하지만, 내가 쓰는 글에 힘이 실리기 위해서는, 그 어떤 기법보다 진정성이 함께 해야 할 겁니다.

대중가요를 예로 들면, 세상에는 노래를 잘하는 가수들이 정말 많습니다. 그런데, 노래로 대중과 소통까지 잘하는 가수는 그리 흔하지 않습니다. 노래가 청중에게 하나의 스토리로 들리고, 나를 위한 노래로 공감된다면 다른 것들은 중요하지 않습니다. 이런 가수들은 생명력이 긴 가수로 계속 남습니다.

책도 마찬가지일 겁니다. 독자가 함께 공감할 수 있는 글을 쓰는 것을 최우선 순위에 둘 필요가 있습니다.

나를 객관적으로 보는 힘이 생긴다

언제 나를 내려놓을 수 있는가?

초등학생 남매에게 각자가 원하는 과자를 사줬습니다. 그리고 집에 돌아와 식탁에서 같이 먹습니다. 정확히 얘기하면 서로 마주 보고 앉아서 각자의 과자를 집어 먹습니다. 아빠의 마음 같아서는 과자를 한 곳으로 모아서 같이 나눠 먹으면 좋을 듯한데, 한사코 거부합니다.

내 과자, 내 자리, 내 것이 있고, 그것을 양보해야 할 하등의 이유가 없는 것이지요. 설령 가족이라고 해도 내 영역을 침범당하기 싫어합니다.

이것이 너무나 당연한 것으로 여겨지는 성장기이기에 더 이상 요구하지는 않습니다. 만약 이 나이대에 주변을 너무 의식한다면, 대부분은 눈치를 보는 것이지 주변과의 조화를 고려하는 것이 아닐 테니까요.

언제 사회성을 키우나

흔히 성장 단계에서, 학교와 같은 단체 생활을 하면서 길러진다고 봅니다. 하지만, 이것은 주변을 인식하고 나를 조화시키려는 수준은 아닐 겁니다. 단지 외부 세계를 인식하는 단계이지요.

약육강식의 논리를 알아가고, 조직 내에서 서열이라는 것을 인지합니다.

· 공부

· 운동

· 취미

잘 났다고 생각하면 더 나설 수 있고, 뭔가 부족하다고 느끼게 되면 움츠러들게 됩니다. 진짜 중요한 건, 이렇게 시작한 사회성을 한 단계 더 끌어올려야 한다는 것입니다.

비교 대상으로만 나와 상대를 바라보는 것이 아니라, 그 너머를 볼 수 있는 힘을 길러야 합니다. 이게 길러지지 않으면, 성인이 되어서도 어릴 적 생존

법칙을 크게 벗어나지 못합니다.

하지만, 반복되는 일상생활 속에서 이러한 사고를 하기는 쉽지 않습니다. 눈에 보이는 것들에 집착하고, 다른 사람들의 시선을 의식하면서 시간을 보낼 수밖에 없으니까요. 요즘은 휴대폰이 그 자리를 대신해 가고 있으니, 사색의 시간을 가지게 하는 것은 더욱 어려워져 갑니다.

내면을 들여다보는 힘

· 나는 누구인가?

· 나는 어떤 사람인가?

이에 대한 끊임없는 질문과 발견을 거치면서, 자신을 만들어 가야 한다고 생각할 것입니다.

예전에 GRIT이라는 책의 저자가 TED강연을 요청받고 나서, 샘플 비디오를 녹화해서 TED에 보냈습니다. 모르긴 몰라도 TED에서 멋지게 강연하고 있는 자신의 모습을 상상하면서 녹화했을 것입니다. 하지만 그 영상에 대한 TED의 의견은 냉혹했습니다. 거의 모든 것을 바꿔야 한다는 피드백을 주었기 때문인데요. 이때, 저자가 꽤 충격을 받았다고 합니다.

"아니, 내가 이제까지 강의를 얼마나 많이 했는데?"

"내가 그동안 이 주제에 대해서 연구한 시간이 얼마인데?"

이제까지의 나를 부정해야 한다는 것을 쉽게 인정할 수 없었던 것입니다. 결론적으로, 저자는 TED의 안내에 따라서 모든 단어와 제스처를 바꿨습니다.

그렇게 준비한 TED 강연은 유명세를 타게 되었습니다.

TED에서 그녀에게 없었던 것을 만들어 낸 것이 아니라, 내면에 잠자고 있던 능력을 끄집어내었습니다. 하지만 그녀는 모르고 있던 부분이었지요. 왜냐하면 이제껏 한 번도 꺼내 본 적이 없었고, 그래도 문제없이 잘 살아왔으니까요. 만약 그녀가 과거의 나로부터 빠져나오지 않았다면, 그 강연은 세상에 나오지 못했겠지요.

세바시에도 이와 유사한 사례가 있습니다. 지금은 유명인이 된 김창옥 교수입니다. 세바시에도 강연자가 섭외되면 어떻게 강연을 할 것인지에 사전 검토 단계를 거칩니다. 자세한 내용은 알 길이 없지만, 김창옥 교수가 평소 스타일로 세바시 첫 무대에서 강연하지 않을 것이라는 것은 충분히 짐작할 수 있습니다.

왜냐하면 그때 강연 내용과 몸짓이 지금과는 사뭇 다르다는 것을 알 수 있기 때문인데요. 그렇다고 세바시에서 보여 준 모습이 다른 사람을 연기한 것은 아닐 겁니다. 결론적으로 세바시가 원하는 무대를 꾸미고, 인생의 전환기를 맞이합니다.

위의 2가지 사례에서 볼 수 있듯이, 누구에게나 사람들이 좋아하는 나의 모습이 내 안에 숨어 있습니다. 하지만, 우리는 그것을 인식하지 못하고 살 수도 있고, 알고 있지만 애써 무시하고 살아갈 수도 있습니다.

이때 변화를 인지하고 선택하기 위해서는 용기가 필요합니다. 다른 말로는 이전의 나를 내려놓는 작업이 있어야 할 것입니다. 강연을 예로 들어서 설명했지만, 책 쓰기에서도 이와 유사한 자기부정을 해야 합니다.

이제껏 한 번도 꺼내 본 적 없는 나의 내면의 목소리를 들어야 합니다. 독자와 함께 호흡하고 그들에게 다가가기 위해서는, 별도의 노력이 필요한 경우가 대부분이기 때문입니다.

책을 쓰면서 알게 되는 것들

위와 같이 강연은 준비과정, 그리고 실행하는 과정에서 사람들과 호흡을 합니다. 하지만, 책은 출간될 때까지 철저히 작가 중심으로 진행됩니다.

재미있는 것은 SNS 글쓰기와 달리, 책을 쓰고 퇴고하는 과정을 거치면서 나를 다시 생각하게 된다는 겁니다.

· 내가 지금 무엇을 하는 거지?

· 내가 이러려고 글을 쓰는 게 아닌데

· 그냥 여기서 그만둘까?

때로는 문장 하나를 새롭게 쓰는 것이 어렵습니다. 뭔가 생각은 나는데 정리가 되지 않아서 글로 표현하기가 힘이 듭니다. 과거의 나를 부정해야 하는 경우라면, 더욱 어려움에 봉착합니다.

그래서 이전의 나와 지금의 나 사이에 충돌이 일어납니다. 만약, 예전에 전혀 하지 않던 행동을 하고 있는 나를 발견한다면 고민이 깊어집니다. 어색한 지금 나의 모습을 받아들일지, 아니면 예전 모습으로 돌아갈지 혼란스럽습니다.

하지만, 대부분의 성장통이 이렇게 찾아옵니다. 이렇게 내면을 바라다보면서 스스로를 객관화할 수 있을 때가 변곡점입니다. 여기서 멈출 것인가, 전진할 것인가 판단을 내려야 합니다.

이제 막 사회생활을 시작했거나, 외부 환경에 대한 경험이 부족한 상황에서 글쓰기를 이어가고 있다면, 모두 무시하고 싶은 마음이 더 클 수도 있습니다.

초반의 초등학생 아이들 이야기와 같이 아직 받아들일 준비가 안 되었다면, 그저 모든 것이 낯설고 괴롭기까지 합니다. 또는, 이런 고민이 너무 늦은 나이에 찾아오면 다른 이유로 쉽게 포기할 수도 있습니다.

하지만 인생의 경험과 지혜를 담아서, 글을 쓰는 와중에 이런 변화가 찾아오면 쉽게 흔들리지 않을 수 있습니다. 또는 꼭 앞으로 나아가야 하는 이유가 있어도 멈추지 않을 것입니다.

내면을 들여다보는 개인의 지적 활동이 활발할 수록, 사회도 한층 더 단단하고 풍요로워질 것입니다.

인생의 터닝 포인터를 맞이하다

책 한 권이 가져오는 변화들

살다 보면 예기치 못한 시간들이 찾아옵니다. 이때 2가지 반응이 있을 수 있지요.

· 수용한다

· 수용할 수 없다

이런 선택들이 모인 지금 나의 모습은 과거의 총합이라고 합니다. 내가 알고 선택한 미래는 아니었지만, 그 선택에 따른 변화가 기다리고 있는 거지요.

나는 어디에 관심을 두고 있는가?

살면서 모든 경험을 해 볼 수 없다 보니 대부분은 당장의 생존을 위한 생업에 매달립니다. 그런 와중에 뜻하지 않은 기회가 왔을 때, 이것저것 따져 봅니다.

1. 나의 의식주 해결에 도움이 되는가?

2. 외부에 내 세울만한 일인가?

3. 지금보다 더 성장할 수 있을 것인가?

이 중에 하나라도 연결이 되면 관심을 가지게 됩니다. 하지만, 1번이 해결되지 않고 2번이나 3번을 추구하기는 어렵습니다. 역으로, 1번에 대한 걱정이 없다면 2번이나 3번으로 눈을 돌리기 시작합니다.

직장인이라면 연봉 인상에 관심을 가지고, 사업을 한다면 더 수익이 날 수 있는 비즈니스에 관심을 두는 것이 자연스러운 이유입니다. 하지만, 이는 주로 1번을 위한 활동입니다.

젊은 세대를 중심으로 퇴사 붐이 일고, 온라인 구매 대행이나 광고 대행이 각광받는 이유도 1번의 환경을 바꿔보려는 욕구의 분출일 겁니다.

하지만, 시간의 흐름 속에서 1번 활동에서 여유가 생기게 되면, 다른 생각이 듭니다. 즉, 2번과 3번 활동에 대한 갈증이 생기며 다른 관점에서 지금 하고 있는 일들을 고민하게 되는 겁니다.

앞으로 변화를 어떻게 만들 것인가?

굳이 매슬로우 인간욕구 5단계를 인용하지 않더라도, 나의 일상과 관심은 어디에 위치해 있는 지를 한 번 생각해 볼 필요가 있습니다.

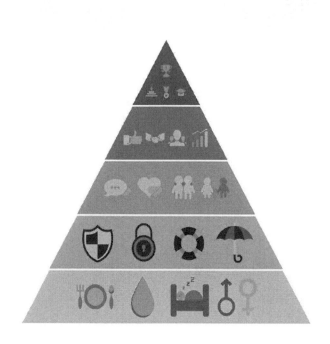

매슬로우의 욕구 5단계

그리고, 한 단계 높은 가치를 만들어 내기 위해서 어떤 노력들을 할 수 있는지 스스로에게 물어볼 수 있어야 합니다.

· 지금 하는 것들을 열심히 하기

· 새로운 일에 도전하기

· 새로운 사람들을 만나기

지금 하는 일도 열심히 하다 보면, 이전에는 보이지 않던 것들이 눈에 들어오기도 합니다. 그렇게 이어지는 노력 속에, 내가 생각하지도 못한 자리로 나를 이끌어 주기도 합니다.

대표적으로 박지성이나 손흥민 선수를 예로 들 수 있겠지요. 직장에서 진급하고 임원이 되는 경우도 해당될 것입니다. 하지만, 내가 몸 담은 분야에서 성공적 커리어를 이어가는 것이 결코 평범한 이야기는 아닙니다.

더구나 새로운 일이나 사람을 통해서 성장을 이루어지기 위해서는 엄청난 노력이 요구됩니다. 시대는 퓨전형 인재를 요구하지만, 현실 속에서 새로운 것을 갈망하고 오픈 마인드를 유지하는 것은 결코 쉬운 일은 아닙니다. 그래서 너무 긍정적 기대만 하고 새로운 분야에 뛰어든다면, **지속하기 어려운 측면이 있습니다.**

그래서, 새로운 변화를 갈망한다면 책 한 권을 써 보라고 권합니다. 이를 통해서 새로운 사람들을 만나고, 예전에는 전혀 알지 못했던 분야를 접할 수 있을 것입니다. 이것을 그동안의 지식과 경험과 연결할 수 있다면, 도약의 기회로 만들 수 있습니다. 그 어느 분야보다 리스크가 없이 시작할 수 있는 일이 나만의 책 한 권 갖기 입니다.

작은 성공의 경험이 차이를 만든다

리스크 없이 새로운 경험을 할 수 있을까요? 이를 최소화하기 위한 노력은 해야겠지만, 100% 제거할 수는 없을 겁니다. 그렇기에 작더라도 빠른 성공 경험을 하는 것이 필요합니다.

누군가 멘토가 되어 준다면, 빠르게 길을 찾아갈 수 있을 것입니다. 하지만, 혼자서 헤매다 보면 오랜 시간이 걸릴 수도 있습니다. 왜냐하면 이전에는 쳐다도 보지 않던 새로운 분야이기 때문입니다.

하지만 실패에서도 얻는 것들은 많습니다. 이런 과정에서,

· 다시 초심으로 돌아갈 수 있고

· 나를 내려놓을 수 있고

· 새로운 분야에 눈을 뜰 수 있고

· 새로운 사람들과 관계를 맺고

· 내가 좋아하는 것이 뭔지 더 명확하게 알 수 있게 된다면

실패에서도 많은 교훈을 얻을 수 있지만, 성공만큼 동기부여를 하지는 못합니다. 그래서 작더라도 성공 경험을 쌓아 가는 것을 권합니다.

나의 이야기라고 생각된다면 더 늦기 전에 도전을 해 보아야 합니다. 조금이라도 빨리 성공과 실패를 경험하면서, 단단해지는 시간을 가져야 합니다.

누구도 실패없이 정상에 도달하는 사람은 없으니까요.

퍼스널 브랜드는 어떻게?

사람들은 나를 누구로 기억하나?

어디서 시작을 할 것인가?

누구에게나 시작이 있습니다. 그런데, 처음에는 이것을 인지하지 못하는 경우가 많습니다. 누구에게는 소속된 단체에서, 또 어떤 이는 예기치 않게 새로운 커뮤니티에 발을 내 딛으면서 변화를 맞이합니다.

개인적으로도 오프라인에서, 그리고 온라인에서 이런 경험을 했었습니다. 이런 이벤트들이 쌓여 가다 보면, 부지불식간에 "나"라는 사람을 수식하고 정의하고 있었습니다.

- 오프라인에서 나를 만든 시간들

30대에 잠깐 나의 50대를 생각하며, 강사라는 커리어를 꿈꾼 적이 있었습니다. 그때 해외에서 발행하는 프로젝트관리 자격증을 취득하기 위해서, 출퇴근 전후로 영어원서와 하루 평균 4~6시간을 씨름하였는데 다행히 좋은 결과를 얻었습니다. 자격증 준비과정에서 익힌 내용들을 실무와 어떻게 접목하면 좋을지 고민하는 시간을 거치고, 국내에 여러 단체에 소속되어 네트워크를 넓혀갔습니다. 그러면서, 많은 프리랜서 기업 강사님들을 만날 수 있었습니다. 주변의 권유도 있었고, 다른 사람들에게 선한 영향력을 끼칠 수 있다는 생각을 했습니다.

핑계이긴 하지만, 과중한 업무와 잦은 출장에 이런 흐름이 끊기게 됩니다. 그리고, 회사에서도 실무자에서 관리자로 역할이 바뀌게 되면서 경영이나 조직관리 등 다른 분야에 관심을 가지고 학습을 하게 됩니다. 지금은 지나간 이야기이지만, 만약 그때 관심과 열정을 이어 갔다면, 지금쯤 아마 관련 네트워크 안에서 강사 활동을 하고 있을 것으로 추측이 됩니다.

그때만 해도 온라인은 강사들이 홍보 수단 정도로 활용했었습니다. 하지만, 지금은 전혀 다른 분위기이죠. 특히, 코로나를 거치면서 원격 또는 온라인 수업은 일상 속으로 깊이 침투했습니다.

- 온라인에서 나를 만드는 시간들

온라인에서 나를 만들어 가는 계기가 있었습니다. 이것은 단독 저서를 출간한 직후입니다. 개인을 내세우기보다는 책을 알리기 위한 목적으로, 블로그에 글을 쓰기 시작합니다. 그리고, 그때는 몰랐습니다. 1일 1 포스팅이 어떤 변화를 가져올지.

책을 출간하기 전에는 블로그나 브런치를 개설했다는 정도로 만족하고 있었습니다. 하지만, 그것뿐이었습니다. 몇 년이 지나도록 어떻게 만들어갈지 또는 활용할지에 대한 생각을 전혀 하지 않았습니다.

하지만, 책 홍보라는 하나의 목표가 생기니 어떤 방법으로 활용할지 고민을 하고 주변 상황을 모니터링하게 됩니다. 그러다 보니, 주변에서 들리는 이야기에 귀를 쫑긋 세웁니다. 누가 한 마디 하면 그쪽으로 쏠렸다가, 또 다른 의견을 듣게 되면 더 나은 방법인지 스스로 테스트를 해 보았습니다.

이를 계기로 작가라는 브랜딩을 하기 시작합니다. 계속해서 책을 내는 한편, 이를 확장하여 강사라는 타이틀까지 추가했습니다. 온라인과 오프라인에서 강의를 하게 되었습니다. 앞으로 비즈니스 영역은 계속 확장해 나갈 계획입니다.

50대 이후의 퇴직자와 중장년층과 함께 커뮤니티를 형성하고, 함께 상생하는 프로그램을 만들어 보고자 합니다.

스스로 자신을 세워야 한다

온라인이라고 기본 원칙이 다르지 않았습니다. 큰 틀을 먼저 잡고, 목적지를 생각하면서 한 걸음씩 내디뎌야 했습니다. 조금 빨리 가려고 지름길을 쫓아가다 보면 어느새 막다른 길에 닿아 있었습니다. 그래서, 깨지고 부딪히는 과정에서 하나씩 기준을 만들었습니다.

자신을 이해하는 시간 없이, 멋져 보인다는 이유 또는 돈이 된다는 이유 만으로 따라 하다 보면 계속 지속될 수 없었습니다. 만약 나의 성향과 맞지 않는 방향으로 계속 진행하다 보면, 이 길이 나의 길인지 계속해서 의심을 하게 됩니다.

그래서 자신이 무엇을 좋아하고, 어떤 행동들을 했을 때 보람을 느끼는지 스스로 생각해 보는 시간이 필요합니다. 이것을 이해한다면 그에 맞추어서 자신만의 색깔로 브랜딩을 해 갈 수 있습니다.

– 강사 홍길동

– 작가 홍길동

다른 사람들은 나를 이런 타이틀로 기억할 것입니다. 하지만, 타이틀이 주는 의미가 무엇인지 고민해보고, 그 속에서 어떤 가치를 추구할지 스스로 정의할 수 있어야 합니다. 예를 들어서,

- 나눔을 좋아하는지

- 사람들과 어울리는 것을 즐기는지

- 직업은 단지 수익을 추구하는 목적인지

등이 있을 겁니다. 이게 정의되고 나면, 그 타이틀 아래에서 하는 행동도 자연스럽게 정리가 됩니다.

최근에는 본인에게 가장 맞는 색깔 매칭, 색채 심리 등을 통해서 나를 알아가는 컨설팅 강좌도 생겼는데요. 한 번쯤 자신을 돌아보고, 나에게 맞는 타이틀과 행동방식을 정립하는 것도 도움이 될 것입니다.

남들은 나에게 관심이 없다

제 삼자의 눈에 비친 나의 퍼스널 브랜드는 주로 타이틀로 드러나는 이유 중의 하나로, 모두 바쁘게 살아가기 때문입니다.

- 소상공인

- 프리랜서

- 작가

- 강사

- 중소기업 CEO

- 직장인

사회생활 중 나에게 씌워진 타이틀이 곧 나의 브랜드가 됩니다. 쉽지는 않지만, 여기서 한 발 더 나아가려 한다면 또 다른 타이틀로 세상을 만나려 노력해야 하는 이유입니다.

예를 들어서, 직장인이 저녁에 외부 강사활동을 할 수도 있습니다. 소상공인이 저녁에 소설가로 변신할 수도 있을 겁니다. 중소기업 CEO가 자선단체의 회장직을 수행할 수도 있겠지요.

누군가의 눈에 비친 타이틀에 자신을 묶어두지 말고, 이를 발판 삼아 한 단계 성장하려 하다 보면 또 다른 기회와 마주합니다. 이것을 경험한 사람은 세상을 보는 눈이 이전과는 달라집니다.

결국 내 마음의 눈을 떠야 한다

아이러니하게도 외부에 비친 나의 퍼스널 브랜딩을 만들어 가기 위해서는 내면 깊숙이 들어가 보아야 합니다. 진정 내가 원하는 것이 무엇인지 확신을 가져야 하고, 현재의 틀을 깰 수 있는 방법들을 모색해야 합니다.

이후에 내가 지향하는 목표를 세우고, 액션 아이템을 만들어 보는 것입니다. 이렇게 만들어진 목표는 쉽게 버릴 수 없습니다. 바쁜 일상 속에서 잠시 잊고 살 수는 있지만, 결코 지워지지 않고 가슴에 남아 있습니다. 당장 아무런 성과가 없더라도, 내면과의 대화를 이어가야 하는 이유입니다.

> 불평하고 아무것도 하지 않는다면, 앞으로 한 발짝도 나아가지 못할 것입니다.

개인적으로는 소설 한 편을 완성해 보려 합니다. 그동안 경험했던 세상과 만났던 사람들을 담아내는, 현실적이면서도 나의 상상력이 가미된 이야기를 만들어 보려 합니다.

이제 제대로 책을 쓸 준비가 되었다

나는 왜 책을 쓰는가?

도도한 시간의 흐름 속에서

40대에 관리자로 직장 생활을 하면서, 직장에서 감투와 승진을 놓고 펼쳐지는 암투가 눈에 들어왔습니다. 50대에 들어서면서 대한민국의 정치가 이해가 되기 시작했습니다. 책을 내게 되면서 들여다본 출판계의 역사와 흐름이 보이기 시작했습니다.

한 빌 떨어져 있던, 그렇지 않던 지금 이 순간도 시간은 흘러 갑니다.

위의 사례를 하나씩 들여다보면 전혀 다른 세상인 듯 하지만, 결국 사람 사는 이야기입니다. 어디든 사람이 모이는 곳에는 스토리가 있습니다. 그것이 공개적이고 해피엔딩일 수 있지만, 그보다는 알려지지 않은 부분이 훨씬 많고 행복하지 않은 결말로 끝나기도 하지요.

짧게 보면 내가 가진 것은 초라하고 남의 떡은 커 보입니다. 하지만, 시간은 누구의 편도 들어준 적이 없습니다. 이런 속성을 누구보다 잘 아는 인간이, 마치 나의 시간은 통제할 수 있는 것처럼 생각하고 행동할 뿐입니다.

역사를 공부하고, 사람들에 대한 호기심으로 사회를 관찰하기 시작하면 이런 부분에 대한 이해도 증가합니다. 흐르는 시간 속에서, 한 세대가 저물어 가고 다음 세대가 사회를 이끌어 가는 흐름도 보입니다.

시간은 멈춰 있는 것이 아니라 계속 흘러가야 하기에, 각자도생 하는 사회가 아니라 함께 어울려 살아가는 세상을 바라봅니다. 그동안 지나온 길을 돌아보고, 사람들의 행동을 한 발짝 떨어져서 보니 어떤 삶을 살고 싶은 지 선명해 집니다.

시간이 지나도 함께 나누고 싶은 글을 계속 쓰고 싶습니다.

기록하면서 배우는 것들

다른 것도 마찬가지이지만, 출판사를 통해서 종이책을 낼 때는 출판계의 업무 흐름을 전혀 알지 못했습니다. 글쓰기 책은 십여 권을 읽어서 내재화되었지만, 주변에 출판계에 종사하는 이들이 없다 보니 세부적인 출판에 관한 내용들은 낯설기만 했습니다.

이방인에게는 그리 개방적인 분야가 아니라고 느꼈습니다. 하지만, 이어서 전자책을 준비하면서 출판에 관한 책들을 몇 권 접하고 나니, 시장이 눈에 들어오기 시작했습니다. 출간 후 출판사 관계자와 연락을 하면서 궁금증을 더 해소하게 되었습니다.

한 쪽이 흥하면, 반대편은 어려움을 겪는 것이 이치가 출판계에도 진행되고 있었습니다. 전자책 산업의 성장은 기존 출판계의 현실을 역설적으로 보여준다는 것도 이해하게 되었습니다.

예를 들어서,

· 기존 출판계의 어려움

- 전통 출판사가 전자책 시대에 흔들리는 이유

- 출판계 앞에 놓인 숙제

- 앞으로 변해 갈 출판산업

이런 배경지식을 가지고 출판계를 들여다보게 되니. 앞으로 출판 시장이 어떻게 변해갈 지 어렴풋하게나마 이해할 수 있었습니다. 전략적으로 나의 책은 어디서 내는 것이 현명한 판단인지도 명확해졌습니다.

출판계를 예로 들었지만, 다른 산업계도 별반 차이가 없습니다. 새로운 변화에 능동적으로 대응하지 못하면, 위기로 작용할 수도 있다는 겁니다.

직장을 다니는 동안 하나의 직업 속에서 축적된 지식과 경험에 추가하여, 이후 알게 된 세상의 흐름이 통합되고 정리되어집니다. 이런 통찰을 글에 담고자 합니다.

책을 통해서 공유하고 싶은 것

처음 책에 흥미를 느낀 것은 이름 석 자를 알리고, 또 다른 수입의 파이프 라인을 만들 수 있겠다는 지극히 단순한 이유였습니다. 특히, 노후에 지적 활동과 경제 활동을 동시에 해결할 수 있다는 점이 매력적으로 다가왔습니다.

하지만, 시간이 지날 수록 글을 쓰는 것에 대한 여러가지 고민이 더해졌습니다. 그런 와중에, 어떻게 책을 낼 지 어려워하는 사람들을 알게 되었습니다.

내가 책을 쓰는 것도 있지만, 몇 권을 책을 내고 나니 다른 이들이 책을 쓸 수 있도록 안내를 할 수 있게 되었습니다. 그래서 주변 사람들이 책을 내는 것을 도와주다 보니, 새로운 파이프 라인이 만들어졌습니다. 부수입을 올리는 즐거움도 있지만, 그보다 훨씬 큰 기쁨을 맛 보았습니다.

"사회에 긍정적 영향력을 끼칠 수 있다는 것이었습니다"

일면식도 없는 이들과 공감을 하고, 그들에게서 거꾸로 인생을 배웁니다. 또 다른 이에게는 잊고 있었던 용기와 희망을 전달 해 주고, 함께 사는 세상이라는 것을 깨달음을 얻습니다. 기존에 내가 전부라고 알고 있던 세상이 너무 작게 느껴지고, 새롭게 성장하는 계기가 되었습니다. 저에게 책쓰기 수업을 받았던 한 분은 이런 말씀을 하십니다.

"

선생님, 이제 책을 어떻게 내는지 제대로 알았습니다.

그러면, 이런 말씀을 되돌려 드립니다.

"저에게 받은 게 있다고 생각되시면, 선생님도 다른 분에게 나눠주시면 좋겠습니다."